Blanca Lema

Taper ware

(Versión: Heliotropo-Castellano, Castellano-Heliotropo)

Lema, Blanca

Taper ware. - 1a ed. - Buenos Aires : Paradiso, 2009.

256 p. ; 20x13 cm.

ISBN 978-987-1598-04-5

1. Narrativa Argentina. 2. Novela. I. Título

CDD A863

Diseño: Adriana Yoel
Foto de tapa: Juan Carlos Ferro
Producción de imagen de tapa: Diego Muzzopapa

Fco. Acuña de Figueroa 786, 1180 Buenos Aires
www.paradisoediciones.com.ar

ISBN: 978-987-1598-04-5

1° edición: 500 ejemplares

Este libro se terminó de imprimir en el mes de septiembre de 2009,
en Gráfica M.P.S. S.R.L., Buenos Aires, República Argentina

Hecho el depósito que indica la ley 11.723

TAPER WARE

En homenaje a :

Ariel Ferrari
Gloria Vainstein
Guillermo Barros
Jorge Ferrario
Tito Martinelli

Gracias a:
Arturo, César, Marcelo, Damián T,
Ana, y Srta. Pezzoni

PRÓLOGO DE EDICIONES "MACIZO ROQUE"

En realidad no somos una editorial sino un bar con parrilla por la zona de Villa Ortúzar. Hicimos una cooperativa entre los chicos que vienen por acá a leer sus cositas, y como yo puse el dinero para la imprenta me dejaron decidir que fuese éste el primer título que sacásemos.

Pablo, que es el autor y el protagonista de la historia que van a conocer, llevaba escrita una serie de sueños y, como queríamos saber qué querían decir, le pedimos que los explicara lo más que pudiese. Así surgieron estos capítulos biográficos que, de todos modos, nos permitimos titular con una breve aclaración adicional.

Yo aparezco hacia el final de la historia, cuando de casualidad Pablo viene por primera vez al bar y para pagarse el café se pone a lavar los platos. A esa altura, y en el epílogo, se van a enterar de por qué le pusimos este nombre a la editorial y por qué algunos textos tienen palabras que suenan a serie latina.

Para cualquier reclamo, por favor pregunten por mí, por Roque.

Gracias.

Buenos Aires, marzo del 2001

Parte I

DE CUANDO PABLO TODAVÍA NO SABÍA POR QUÉ HACIA LO QUE HACIA

El día en que Pablo y Juan obtuvieron su primer trabajo

Nunca imaginé que el aviso que contestamos lo hubiese puesto un centro de investigación lingüística con exquisiteces tan parecidas a las nuestras. Para ellos, por ejemplo, era clave que pudiésemos realizar una pulcra imitación de la lengua homérica. Por esa razón, de la cola de cincuenta candidatos, quedamos rápidamente sólo cuatro: el epistemólogo que venía de Bruselas, Juan y yo que estábamos recién recibidos de semiólogos pero justo de Homero sabíamos un montón, y la "vieja".

Con Juan decíamos que estaba mal llamarla "vieja" y la bautizamos "Olga". Una extraña mujer que parecía recién lavada en polvo Odex. La piel transparente, amoratada y escamada. Las alpargatas blancas puestas sin medias en uno de los días más fríos de la temporada. El saco de tweed dos talles más chico. La columna torcida, el pelo gris de Virulana, el temblequeo baboso... y esa sensación de que en cualquier momento podría entrar en un brote psicótico. Ella era sin duda nuestro principal competidor para conseguir la vacante. Pensamos que si la habían visto y no la habían echado, sería gracias a su currículum. Urgente, para la segunda vuelta de selección, no la perdimos de vista.

Los seleccionadores nos habían sentado a cada uno frente a una PC. Teníamos diez minutos para resolver el ejercicio.

El profesor de Bruselas, se sopló con estupor los mocos y pulsó enter. Olga en cambio con una velocidad poco explicable, ya estaba terminando su polígrafo. Juan y yo nos miramos. ¿Qué tenía que ver Homero con un polígrafo? Pero ahí estaba la vieja, moviendo pasmosamente el mouse, con la boca abierta, seca y pastosa. Se había sentado extremadamente al borde de la silla, y se ladeaba con la misma diagonal abrupta que hacen los espásticos, cuando en un esfuerzo inútil intentan que sus cuerpos sigan el contorno de lo que intentan dibujar.

Nuestra pantalla estaba vacía. Nos apuramos. Traducir del griego era fácil, el tema era resolver el acertijo. Bruselas llevaba dos hojas en rima. Según Juan, puro verso. Olga, seguía con el polígrafo. Nombraba en arameo los vértices, lo trasladaba del plano, lo ponía en perspectiva y le daba color. Si seguía así, el puesto era de ella.

Yo tenía la esperanza de que se cayera del asiento y se partiera la espalda en dos, como un muñeco de loza escapado del aparador de un geriátrico.

Nos quedaban sólo cuatro minutos. Con Juan optamos, ¡oh novedad!, por la lógica. Homero siglo IX a.C, no había polígrafos... La vieja la estaba chingando, salvo que lo utilizara como un teorema del absurdo. Una especie de antivirus traspolado en el tiempo para limpiar a fondo las nebulosas del pasado griego. Con Juan decidimos lo único que podíamos hacer: copiarnos. Faltando diez segundos escribimos: "la respuesta del acertijo está en el polígrafo de nuestra compañera, pero con una corrección de ángulo a la izquierda de 35°." (Justo la inclinación de la escoliosis que calculamos que tenía Olga). Para cerrar firmamos como co-equipers y ofertamos dos jóvenes brillantes al precio de uno. El trabajo fue nuestro y nunca más supimos de Olga, ni tampoco qué pepino quisieron decir ella, ni Homero. Pero hasta los veinticuatro años, ¡oh Zeus!, fuimos un team de imitadores clásicos perfecto.

Dos años después, Pablo renuncia y visita a su madre

A Juan lo perdí en el camino, el día que decidí renunciar. No tuve una razón clara para dejar a ambos, trabajo y Juan, en un mismo paquete incluido. Sólo lo hice.

Era un jueves, venía del almuerzo, tenía que terminar unas traducciones, me iba a servir un café... Y en vez de hacer todo eso, me fui. Fue como si hubiese abierto por accidente un programa que no era mío, y no supiese, o no quisiese, volver atrás.

Fue un alivio perder a Juan... Nuestros padres habían sido toda la vida camaradas de arma, y por esa razón de casta nos había tocado compartir las mismas guarderías y colegios. Lo que nunca entendí es por qué también Juan había estudiado semiología. No me cerraba por qué, siendo tan diferente a mí, quisiese hacer siempre lo que yo hacía...

Sí, fue un alivio perderlo. Se había ido trasformando en una de esas personas de neón, que uno no sabe si son buenas o malas. Sólo se prenden o se apagan y sólo parecen estar de frente, como si no pudiesen mostrar un perfil, o como si no tuviesen vida propia y necesitasen la de uno para existir.

Junto con el hecho de sacarme de encima a Juan quise también deshacerme de la sensación de ser un taper ware, o sea, uno de esos pocos jóvenes en ascenso que envasados herméticamente conseguían, entre otras cosas imposibles, que su primer trabajo tuviese algo que ver con la carrera que habían estudiado. Más que ese temprano privilegio no me pasaron muchas cosas... Tuve una vez una "casi" novia, a la que "casi" amé, pero una tarde de depresión puso su cabeza dentro del microondas y se cocinó el cerebro. Se llamaba Mariela, y alguien que había leído la noticia en el periódico, dijo en broma que ella se había querido preparar un snack de sus propios sesos. Después de eso evité las emociones fuertes y sólo usé el freezer.

Yo debería hablar de esto en un tono más áspero, como si la narración surgiese del alcohol o de las drogas. Pero en esa época yo venía del hielo y en el hielo, lo siento, la lástima no existe. Sí... fue un día hermoso, ése, en el que sin saber por qué mandé todo a la mierda. Recuerdo que me puse a caminar y, sin más ocupación que la de ir siguiendo los rayos de sol por la vereda, de golpe memoricé la teoría de que la luz deformaba los objetos. Que los objetos no son como los vemos en la luz. Y si los pudiésemos ver en la oscuridad por algún nuevo y extraño mecanismo, deberíamos esperar tanto tiempo como tiempo recibieron de luz, para entonces recién observarlos realmente tal cual son. El objeto era yo. El ex joven taper ware, camino a la casa de su madre. Esa mujer de barrio norte y peluca de fondant amarillo patito, que no podía salir a la calle porque para ella nunca andaba el ascensor, y cuando quería explicar su desgracia, decía cosas como:

—Fijate que solamente te cuento, hijo, solamente fijate, un pedacito de lo que estaba pensando y viendo, un pedacito de todo...

Visita corta. La dejé. Ella ya no era una madre ni tampoco una extraña. Yo ya había dejado el trabajo, había dejado a Juan... parecía requerir muy poco esfuerzo dejar también a mi madre. La miré y sin que se diese cuenta cerré la puerta. Nunca me gustó más llevarme un cigarrillo a la boca, que en ese momento. Me había recostado en el palier, y disfrutaba que mis pitadas la abandonasen, la callaran, la olvidaran, y que yo entonces sólo pensase en mis amigos. Sí, los amigos... fumaba y pensaba en esos pocos lejanos amigos de adolescencia, que después de conocer a mi madre, inevitablemente fantaseaban sobre las ventajas que tendrían los huérfanos. "Una madre loca... pasa, pero una en capicúa... ¡viejo!"

Eran palabras intactas traídas por el humo. Bocanadas de pequeños relajados diálogos, que esperaron conmigo hasta que el ascensor vino y no tuve más remedio que volver a escuchar la voz pringosa de mi madre que seguía rebotando en círculos tras la puerta de ese 4° "D".

—Hijo. No pienses, hijo, que yo pienso que vos pensás...

Pensé: "pucho querido, compañero, llevame lejos. Llevame a planta baja donde antes me esperaba el chofer de la camioneta. Cualquiera: roja, gris... Ford, Chevrolet, computación, natación, teatro, inglés". Tantos años de estudio, yendo y viniendo por manos extrañas. Sí... era hermoso ese día en el que me despedí de mi madre, como el pupilo que ya no sabe dónde queda un domingo. Caminar... y ver pasar la gente con esa interminable soledad a cuestas. Sentir que mi cabeza podía arquearse y sufrir el mismo shock violento que sufren los plásticos cuando experimentan un cambio brusco de temperatura. Recordé unos versos de Homero. Unas homéridas tontas que tenía muy olvidadas. (Aclaro que, en los dos años que trabajamos en el Instituto, ni a

Juan ni a mí nos volvieron a pedir algo sobre los griegos, como en el examen de selección). El tema es que con los versos recordé a la vieja Odex. Sentía más culpa por haberle quitado ese día el trabajo a ella, que por abandonar a mi madre. Me preguntaba dónde estaría después de tanto tiempo esa mujer a quien yo había llamado Olga y por qué de repente necesitaba con desesperación encontrarla? Seguí.: "Pucho, pucho, pucho..." (vocablo insólito traído a mí como un tango impostado que nada tenía que ver conmigo), recién hoy fumo. Hoy que hacerme daño y lastimarme me consuela. Yo, Pablo, prometo: no ser un buen alumno (¿podría?), no tener éxito (¡mentira!), no ser un buen hijo (¡eso sí!), SER, SER..." Y ahí a una cuadra de mi casa, a la hora exacta en que los porteros se ponen de acuerdo para sacar simultáneamente esas bolsas negras y resbalosas de consorcio... tuve la idea salvadora: ser un analizador de basura, un patólogo de la vereda. Quizás un forense residual de la ciudad. Con suerte, un espía. Alguien que pudiese tocar a los demás a través de sus propios desperdicios. "Tocar a los demás y no estar solo", dije, y sin preguntarme de dónde había venido ese insert, rematé eufórico: "¡PAN, PAZ, BASURA Y POESÍA!" (¡Qué horror!)

Después de ese eructo cursi, vino una época en que sufrí creyéndome. Creía que cambiando a mi madre por Olga, cambiaría el sonido a secador de pelo que tuvo mi infancia. Creía que esa vieja parecida a una mendiga podía ser una sustitución posible, y jugaba a injertarla en mi memoria, esperando que ese enroqué de imágenes interiores alimentara mi incomprensible decisión de dedicarme a estudiar la basura.

Para entonces todo me resultaba increíblemente difícil. A veces, cuando llegaba a casa, sentía que alguien que no encajaba en mí me revisaba. Y era justo en esos momentos en que ese "yo sobrante" me palpaba, cuando más trataba de exigirme en mi nuevo trabajo. Me había propuesto que, pasara lo que pasara, no abandonaría la tarea. Debo reconocer que una buena ayuda para este período de mi iniciación fue el viejo edicto durante la dictadura: SE PROHÍBE QUEMAR BASURA. El desuso de los incineradores me permitía especular que, desde que la gente dejaba sus bolsas en la acera, hasta la llegada del camión municipal, podía contar con dos horas como mínimo. Así, al principio, me conformé con llevar las bolsas de mis vecinos a mi casa. Un período insípido que me sirvió de ensayo para lo que yo planeaba como mi gran ataque: salir con el auto y rastrear otras zonas. Cuando por fin lo hice, no fue simple. Descubrí que había demasiadas personas que se interesaban por la basura. Barrios enteros de personajes espectrales para los cuales yo no era un semiólogo original, sino el pendejo con auto que les robaba inescrupulosamente el abrigo o la cena de esa noche. Y todas esas corridas por disputar el botín... todos esos piedrazos e insultos que me iban dedicando hasta que cerraba el maletero y arrancaba, eran la confirmación de que desde hacía tiempo, yo había dejado de ser una buena persona. Teniendo en cuenta que cargaba la sospecha de que mi padre fuese algo más que un médico que vivía en el sur y trabajaba en las Fuerzas Armadas, la sensación reciente de que yo no me había logrado mantener inocente con el estudio, de no haberme podido salvar con nada, no era poca cosa.

Por supuesto lo dejé ahí y me aboqué al otro aspecto difícil que tenía que enfrentar: el olor en el living cuando finalmente volvía a casa con las 30 a 60 bolsas que lograba recolectar en el día. En la cocina, el baño, y el lavadero, era fácil controlar el olor porque regaba todo con lavandina, pero el living estaba alfombrado y por lógica me daba pena. Tardé un tiempo en descubrir que lo más efectivo para enmascarar la atmósfera nauseabunda en la que trabajaba, era esparcir formol cristalizado. Un invento de un ferretero que se daba mucha maña con la química y que había logrado solidificar el formol en una especie de sal gruesa gomosa que resultaba muy práctica de espolvorear. En todo caso yo siempre fui muy metódico. Mandé a la bodega los muebles y establecí áreas. Desechos orgánicos por un lado, vidriería y hojalata por el otro... Zapatos izquierdos acá y derechos allá... Sí, no sé si lo dije antes, pero también me llevaba los zapatos que veía por ahí tirados, en el parque, o en la vía del tren. Eran zapatos perdidos o abandonados... A veces viejos y rotos. A veces flamantes. Nunca uno igual a otro, nunca útiles ni pares, pero siempre heridos y agotados. A nadie parecía servirles. Eran sólo míos, y hasta la próxima noche en que volvían las corridas por las bolsas, me daban la ilusión de no ser un usurpador.

De esos escapes violentos, rescato especialmente la noche en la que las hermanas hormiga se me tiraron encima y mordisqueándome las muñecas me obligaron a soltar esa bolsa húmeda, que según ellas, "se movía".

—Tengan —dije—, no sabía...

Era cierto. Ignoraba que las bolsas que se moviesen tenían que ser para ellas. Pero algo estaba claro, bajo el puente de la autopista, estas dos parteras cincuentonas, morenas, y de apenas 39 kilos cada una, eran sin duda las personas más amadas de la villa. Y digo amadas porque ya desde entonces había comenzado a percibir que cuando hace menos frío en la cabeza, uno abriga nuevos verbos.

Al regresar a casa esa noche, repasé todo lo que ellas habían dicho. No fue sino hasta el momento de evocarlas, que noté que en realidad no eran tan exactamente iguales. Una era trompuda, de dientes prominentes, y siempre estaba alerta, mientras que la otra parecía tener la boca tatuada y estar ausente. Creo que la que me mordió más fuerte fue justamente ésa, la de la boca pequeña.

Otra cosa que recordé, ya a salvo en mi sofá, fue que llegué a plantearles mi hipótesis de que las bolsas que ellas querían, se movían porque tenían dentro un juguete de cuerda. Pero las hermanas sospechando mi intención de mostrarlas como revendedoras de algo, me aclararon muy bien que no se trataba de rescatar nada material. Más exactamente dijeron:

—Nene, si no sabés jugar con eso, mejor dejalo. ¿Eh, papito?

Me quedé sin saber qué había en la bolsa. Las hermanas daban miedo, y los chicos haraposos que las rodeaban eran buenos lanzadores de piedras. Uno de ellos, el más flaquito y con gorra, el que me había amenazado con un cable eléctrico mientras yo me subía infartado al auto, me había dicho:

—Entendiste, ¿no?... Las muertas son para vos, las vivas son para ellas.

No hubiera podido llegar jamás a una diferenciación semántica más perfecta como la que había hecho él hacía apenas unas horas. Miré el interior de mi departamento y pensé si no tendría que llamarlo para que me diese su opinión sobre cómo yo había, hasta ahora, clasificado las bolsas de basura que tenía en el living. Encendí un pucho y me di cuenta de que hacía unos días que no escuchaba el contestador. Lo puse:

—Hijo, hace dos meses que no te veo, hijo. Juan dijo que renunciaste. Hablá con él, hablá. No lo dejés solo a Juan en esto. Es un buen chico, no me hagas esto, es un buen chico. Si Juan no me viniese a ver, ¿quién vendría? Sólo el conserje, vendría.

No sabía que Juan había pasado a ser otro de los porteros de mi madre... Apagué el contestador y retomé el recuerdo de las hermanas hormiga sin poder dejar de pensar que si mi madre las hubiese visto, temiendo que pudiesen subírsele a la casa por las rejillas, les hubiese echado encima una buena dosis de insecticida. Una dosis apestosa como la que, cuando yo era chico, solían poner detrás del espejo del botiquín, sin prever que al mezclarse con el olor almibarado del spray de mi madre, produciría un shock olfativo terrible en el baño.

¡Demasiado para una noche! Me acosté y después, ¡oh sorpresa!, tuve mi primer sueño desde que me transformase en basurero.

Sueño 1. Serie B.

¡¿Por qué esos monjes?! ¿Ellos quieren ver?
Vemos:
Un balde con manos amputadas y otro balde con hielo.
Bardo toma ése, el que oculta un corazón helado.
Y en la zona de aislamiento hace su primer tajo.
No.
El corazón no desea no morir, quiere seguir unido a eso que se llevaron.
Bardo pone nuevamente al no deseante en el hielo.
Por momentos lo que lo contiene es un balde, por momentos un moisés.
Grita:
—¿Qué hago yo con su muerte ahora? ¿Dónde se la devuelvo?
Nadie en el hangar contesta. No hay reparación posible.
Lejos del aquí, alguien aprende a mantener una respiración tan pequeña como la de la nieve.

Aclaro que en este sueño Bardo era un cirujano que usaba chaleco de litio. Aclaro también que vivía en el futuro y que Bardo era mi padre. O sea que, en esa época, yo estaba empotrado entre una madre del ayer y un padre del mañana. No tenía dónde huir. Quizás por eso, luego de escribir un sueño y a manera de guía para un plan de escape, tomaba un marcador amarillo y subrayaba las partes que parecían tener un contenido diferente. Debía hacerlo con mucho cuidado, ya que podían haber cosas repetidas camufladas como nuevas, pero no lo eran. En ocasiones, por ejemplo, mi padre no aparecía como cirujano, sino como actor, o boxeador... pero siempre era mi padre. En este sueño, por eso, sólo subrayé los monjes. Las manos amputadas las dejé de lado, porque me parecieron una filtración de ciertas imágenes vividas con las hermanas hormiga. Ya me había sucedido que lo real fuese devorado por lo irreal. Lo sabía porque, después de un sueño caníbal, era grato sentirme con el cuerpo vacío.

¿De qué vivir?

Una mañana luminosa me preparé animado un desayuno consistente. Comí con mucho placer unas rebanadas de pan, pensando justamente que sólo eran eso: pan. "Pan, pan, pan", dije. Y disfrutando que fuese un pensamiento simple, guardé unas migas tiernas en el bolsillo, para que al tocarlas durante el día me recordasen que si me lo proponía podía ser alguien normal, o real, o como quiera uno llamar a la experiencia de tener algo cierto. Siempre tuve que concentrarme mucho para que me sucedieran cosas que sonasen verdaderas, pero en esa época en que estaba obsesionado por encontrar a Olga, tenía que concentrarme y ordenarme mucho más.

Gracias a esa voluntad exagerada, las montañas de basura que me rodeaban por todos lados fueron quedando bien ubicadas y con una prolija clasificación. Eso me permitió no tropezar con ellas y tener algunos caminos bien delineados. Contra las paredes estaban los montículos de plásticos, los de vidrio, los de papel y los de telas. Montículos grandes que necesitaban estar bien apoyados para que ninguna bolsa se desmorone. En el medio del living, en cambio, estaban agrupaciones menores como los envases de alimentos congelados o los envases de cosméticos. Los frascos de remedios para grandes y las pastillas para chicos... Todos estos sectores lograron tener tan claramente cada cosa especificada en su lugar, que pronto entendí que me sería muy fácil programar una medición de consumo para productos masivos. Sí, vino el marketing, las categorías, las marcas... Y de la venta de esos datos estadísticos sacados de la basura, ¡oh genio de mí!, viví. (Lástima que mi inteligencia quisiese traicionar mi deseo).

El amigo Juan

"¡Boludo!, ¿por qué no me devolviste las llamadas?", dijo Juan, apenas abrí la puerta. "Estaba ocupado", contesté sin más remedio que hacerlo pasar.

Juan estaba cambiado. Se había hecho algo en la cara y en el pelo, y parecía de menos edad. " Estás como de treinta", dijo en cambio él refiriéndose a mí. "Vení, mejor hablamos en el balcón", agregó llevándose un pañuelo a la nariz, en un gesto poco cortés por señalar que el olor en el living era insoportable.

Yo me había olvidado de que tenía balcón, y al llegar y, estar ahí afuera, empecé a calcular con cierta angurria la cantidad de bolsas que podrían caber en toda esa superficie vacía. ¿Quizás 20, 30…? En medio del cálculo Juan reclamó:

—¡Jodido que sos! Te inventaste esta empresa y no me dijiste nada, a mí, que por tu chistecito de renunciar…

—¿Qué empresa?

—No te hagás el tonto. El otro día te mencionaron en "Negocios", citándote como el analizador de fuentes de consumo más innovador del mercado. Te deben pagar bien, ¿no?…

Ahí tomé conciencia de que era cierto que me estaban pagando bien, y, por supuesto, eso me dio vergüenza. ¿Cómo le decía a Juan que lo que yo buscaba, lo que hacía que yo fuese ese enmascarado escrutador de cáscaras y papeles, no era el dinero sino la verdad?… Acaso la pisoteada confesión de una suela. Acaso un secreto pegado a las yemas de mis guantes de látex. Acaso un polígrafo. "Sí... Juan, ese puto homérico polígrafo, que parecía que Olga jamás hubiese dibujado en una pantalla, o en algún papel. En alguna cosa que pudiese haber tirado, ¡maldita sea! hasta ahora… en ninguna parte." No dije nada de eso. Sólo dije:

—¿Sabés a quién estoy buscando desde que me fui?

—No —dijo Juan, dirigiendo desde el balcón una mirada más que curiosa, a los carteles de las cajas pequeñas cerca de mi computadora.

—A Olga.

—¡¡¿¿A quién??!!

—A esa mujer mayor con la espalda torcida que el día que concursamos le copiamos la respuesta.

—¿A la vieja? Pero, ¡eso fue hace más de dos años!... ¿Qué te picó?

—Es que me quedé con la duda. ¿Vos no querés saber por qué ella tenía razón? ¿No te interesa saber qué quiso decir con ese dibujo?

—¿No me digas que te volviste uno de esos boludos que compran el número siguiente de una revista de crucigramas, para ver la solución de lo que no les salió en el anterior?...

—Muy gracioso, pero el otro día vi un diagrama muy parecido al que ella había hecho. ¿Te acordás?

—Ajá... ¿Y?

—Estaba tirado en una bolsa medio baboseada de...

—¿No te da asco lo que hacés?

—¿Y a vos?

El sabía que me refería a lo que él estaba haciendo con mi madre, así que cuando lo llevé a la salida no ofreció resistencia, y simplemente dijo:

—Me ocupo de ella para que no le hagas lo que le hiciste a Mariela y después te dé culpa. Te cuido como amigo.

—¿Creés que mi madre tendría valor para matarse? Yo, lo más valiente que le ví hacer, fue abrir una lata de café después de haberse pintado las uñas.

—Hablando de cuidarse... ¿tenés la antitetánica?

—¡Chau, Juan!

—Chau, pero te llamo... Mirá que en unos días entro en algo grande.

Odio querer separarme de Juan y finalmente terminar hablando parecido a él. Odio estar imantado a su filo. Cuando se fue, puse mis manos dentro de los bolsillos buscando las migas de pan que había guardado desde la mañana; pero ya no era redondas ni blandas, y parecían en cambio piedras. Sin la ayuda de ellas, pensé que no sabría cómo ser nuevamente yo, y salí a dar una vuelta por la vereda. "Aire fresco. Aire puro...", dije. A los pocos pasos noté cómo la gente se apartaba de mí. No sabía por qué. No tenía la bragueta abierta y vestía bien. Ropa sport, pero muy buena. Eso nunca había fallado.

Juan me había dejado sin energía, con esa anemia perniciosa que sólo produce la duda cuando no es de uno ni de nadie, pero ahí está: infecta y purulenta. ¿Qué habría querido decir con mi chistecito de renunciar? Entré a una farmacia a comprarme un perfume. "Por ahí es mi olor lo que los espanta. Deben creer que trabajo en una funeraria", pensé, y mientras esperaba que me atendiesen, me pesé. Había perdido tres kilos y el espejo de la vitrina me mostraba manchas rosas en la cara. Qué raro que Juan no me preguntase si tenía sida. Yo no le había dado bola, pero el folleto del formol ya prevenía que pudiesen aparecer enfermedades de la piel. Decidí olvidar el perfume y comprar en cambio una crema antialérgica. El farmaceútico no supo cuál, y me dio por si acaso la más cara. Salí deprimido, y sólo al recordar que a las seis tenía una cita explícita con las hermanas hormiga, me animé un poco. Por primera vez en años, no quería estar solo. Cuando volví a casa evité trabajar. Me puse la crema sobre cada mancha y me acosté a dormir una siesta.

Sueño 2. Serie B.

Cuando sueño soy un niño que les ve caer la peluca a las hadas.

El niño no quiere mojar la cama. Sabe que está frío el piso de mármol y se pone unas medias de lana. Camina de noche por el corredor y está atento al hueco de los jarrones donde no ha crecido nada. Camina y nunca avanza. La lana se adelanta, el mármol retrocede. Antes de que llegue al baño, las hadas lo asaltan. Vienen del vacío de las flores y una está armada. "¿Cómo que no quieres orinar, si antes tenías ganas?" Es la primera, la del pelo amarillo, la de la pelela en jarra, la mala que habla. Y es la segunda, la de pelo gris, la que lo lleva y salva. Antes que yo abra los ojos el niño alcanza a verlas calvas. Si yo no hubiese despertado, él no hubiese podido darse cuenta de nada. Quisiera no repetir este sueño.

La bolsa o la vida

Eran las seis menos diez. Estaba con el marcador amarillo en la mano, listo para subrayar mi sueño anterior, cuando me tocaron el timbre. Me asaltó entonces el temor de estar loco, ya que sólo un loco podría dar su dirección a dos marginales agresivas como las hormiga. Miré por la persiana. Para colmo se habían venido con el chico del cable eléctrico. Pensé, "ahora me electrocutan y me asaltan en mi propia casa", pero como sólo prácticamente tenía basura, abrí confiado. Se trataría de un buen pacto entre colegas.

Nunca nos preguntaríamos nada. Ellas se llevarían las bolsas movedizas que yo creyese haberles encontrado; y yo me quedaría con las que a sus chicos cirujas les sobraran. En teoría perfecto, pero apenas pusieron un pie, gritaron:

—¡Pero nene!, ¿cómo vivís así?, ¿te querés enfermar?...

Me retaron, me sentaron y me ventilaron. "Oíme, Pichón, el ventanuco ese del lavadero… ¿se podrá abrir?". Esa era Nidia, la bocota. La más pequeña era Priscila y todavía ésa daba un poco de miedo. Estaba oliendo cada cosa que sacaba de la heladera y algunas hasta las masticaba y las escupía con mala cara. Era la primera vez que las veía con la luz del día, y parecían mucho más oscuras, kinéticas y arrugadas. El chico flaquito que las acompañaba se había venido sin su cable y no supe cómo llamarlo hasta que las hermanas le dijeron "Bowling". Estaba quieto y tenso mirando atento… y si no fuese que tenía 12 años, hubiese pensado que era de la CIA. Mientras las hermanas hacían una sopa, él me vigilaba sin perderme de vista.

—¿Por qué te llaman Bowling? —le pregunté, como para matar el tiempo.

—¡Ta, tan! —dijo él, sacándose la gorra y mostrándome una bocha lisa y huesuda—. ¡Alopecía prematura! —agregó inesperadamente, en un tono alegre y hasta casi orgulloso.

A esa altura, yo ya creía que no estaba despierto, y sospechaba que estas personas eran parte de mi siesta. Me disponía justamente a cerciorarme de que las hubiese registrado en mi sueño, cuando las hermanas hormiga arremetieron en el living con un plato humeante. "Primero la salud", dijeron, y me enchufaron la bandeja arriba de las piernas.

Estaba por decir que yo no tenía apetito, que era muy difícil en realidad que yo tuviese apetito de algo, pero estaban los tres a mi alrededor esperando atentamente que agarrase la cuchara, y pensé que si no lo hacía, era bastante probable que me sopapearan.

Estaba rica. Le habían puesto un poco de orégano como si fuese sopa de pizza, pero no sabía mal. A la segunda cucharada, les adiviné la intención de ordenarme la basura que nos rodeaba y los paré en seco:

—De todo lo que ven, no se tira nada, no se toca nada.

—¡Pero esto es caca de pichicho! —dijo Nidia mostrando la botella que iba a mandar al laboratorio.

Ahí les expliqué, que analizaba la caca para saber las marcas de alimentos para perros que se consumía en ese sector. "¡Oh, oh, oh...!", dijeron las hermanas, tomándome el pelo al unísono. Pero Bowling estaba impresionado y se había acercado al sector de las peladuras. Viendo que había calificado como natural a unos pellejos con la etiqueta de tomate Tomy, dijo:

—Aquí te equivocaste.

—¿¿Por qué?? —pregunté, dándome cuenta de que era un cultivo transgénico.

—Es que ese tomate es como yo.

—¿Y cómo sos vos? —dije apurándome a terminar la sopa.

—¿Vos cuantas mamás tenés?

—Yo, una, ¿y vos?

—Yo, seis, ¿viste?

Y ahí no más, el mocoso se sentó a mis pies, y mientras las hermanas hormiga buscaban azúcar para no sé qué postre, se puso a contar sus madres:

—Una es la que le dicen biológica porque me dio el óvulo y eso. La otra es la alquilada, porque le dieron plata para que me tenga en su panza. La otra es la adoptiva verdadera, que es Carlos. Pero como es travesti, me buscaron una adoptiva falsa que es la que me dio los papeles. Ya van cuatro ¿no?

—Sí. Mm… ¿y las otras dos?

—Son Priscila y Nidia. Me adoptaron cuando mataron a mamá Carlos.

—¿Y que tiene que ver esto con ese tomate?

—Es que al tomate éste, lo hizo la naturaleza pero lo pensó mucha gente. Es mitad tomate, mitad idea.

—Vos no sos normal, ¿no? —dije en voz muy baja como para no ofenderlo.

—Vos tampoco, ¿no? —dijo Bowling aún en voz más baja que la mía, imitándome exageradamente y dejando así claro que podía cazar al vuelo cualquiera de mis educadas intenciones.

Vinieron luego Nidia y Priscila y sonó el gong. El postre que habían hecho era incomible de empalagoso y terminaron devorándoselo ellas. Intercambiados dulces y salados, nos pusimos de repente todos serios. Era hora de negociar lo que nos importaba:

—Yo les conseguí dos bolsas vivas —dije, usando con complicidad el término de Bowling.

—De las tuyas nosotras tenemos afuera cuatro.

Bowling sin que le dijeran nada fue a buscarlas. Yo me di media vuelta y fui al placard.

—¡¿Ahí las tenés, nene?! —dijeron juntas las hermanas con un tono más que indignado, por el sitio que había escogido.

—¿Por qué, qué les puede pasar?

Las hermanas estaban intranquilas, pero cuando me vieron con las bolsas en la mano, cambiaron el ceño. Eran dos bolsas pequeñas, de las que se usan para los tachos del baño, o de un escritorio. Pesaban poco, no hacían ninguna clase de ruido, y si no fuera por cierto contoneo suave y constante, que uno creía descubrir al apoyarlas en el piso, hubiera jurado que no se movían. Pero ahí estaban Nidia y Piscila, llevándoselas, chochas, mientras Bowling me despachaba las otras.

—Nos tenemos que ir ya, porque tenemos guardia.

—Cierto que ustedes eran parteras, ¿no? ¿En qué hospital es que están?

—Si nos necesitás preguntá en el puente.

Y así, sin dar más pistas, cerraron la puerta y se fueron en remolino. Estaban tan apurados que ni me dieron tiempo para decirles mi nombre. De alguna manera me estarían nombrando. ¿El chico rubio? ¿El lungo flaco? ¿El loco del auto azul ? ¿El hijo de puta? ¿El concheto de mamá?

Fui a la cocina con la esperanza de que hubiese quedado más sopa. Dos cucharadas. Estaban frías. Debería haberlas calentado antes de tomármelas. Ya era tarde. De costado y como al pasar, me puse a mirar las bolsas que me habían dejado. Me acerqué. Se habían tomado el trabajo de colgarles un papelito con la dirección exacta de dónde las habían recogido. Como supuse, habían cometido una que otra falta de ortografía, y la letra tenía esa típica redondez de las empleadas que van a escuela nocturna. No tuve ganas de abrirlas. Era un día extraño. Siempre trabajaba diez, doce horas. A veces seguidas. Esta vez no... Estaba cansado. " Un cansancio simple", dije para consolarme, pero la idea de que siempre me encontrase con personas complicadas, aunque viviesen en una villa, me preocupó. ¿Qué pasaría si finalmente encontraba a Olga? ¿Cómo sería? Prendí el televisor. Quería dormirme sin soñar cosas raras. Ya bastante con ese chico de los tomates.

Al día siguiente tampoco trabajé. Sólo ordené lo necesario para que no se juntara mucho olor, o para no atrasarme en las muestras que tenía que enviar al laboratorio. También tenía unos mail urgentes, pero no los quise contestar. Esa mañana había salido anunciado en el periódico otro concurso del instituto donde yo había trabajado y quería ir a ver. El aviso tenía el mismo logo de siempre con las inciales de C.I.L (Centro de Investigaciones Lingüñísticas) y me fue fácil encontrarlo.¿Estarían recién buscando alguien para mi vacante? Olga, la vieja, ¿se volvería a presentar?

Al llegar me encontré conque ya habían seleccionado los finalistas y que Olga no estaba entre ellos. Pude haberme ido en ese momento, pero quise saber quién ganaba en esa última ronda. No me fijé en el tema, sólo quería saber a quién elegían. Había un sólo chico joven, y cuando finalmente fue a él a quien escogieron, no pude dejar de pensar si Juan y yo habíamos ganado por copiarnos de Olga, o si fuimos elegidos por la edad.

Ese lugar volvía a lastimarme pero no me quería ir con las manos vacías. Se me ocurrió entonces lo que nunca se me había ocurrido en el tiempo que estuve ahí: rescatar el disquette con el back up del dibujo de Olga. ¡Seguro que lo tendrían! Ahí tenían la manía de fechar todo. Pedí ir al baño, y del baño me filtré a la cocina con la esperanza de que la gorda del café siguiese siendo la misma.

—¡Pablucho!, casi no te reconozco, ¡estás hecho un fideo!

Ella en cambio estaba aún más gorda, pero era la tipa alegre y macanuda de siempre. Gracias a los conocimientos de peluquería que había yo forzosamente recibido de mi madre, pude observar que la gorda tenía las raíces crecidas y una permanente floja, lo que la hacía ver lacia y morocha, arriba… y rubia y crespa, abajo. Una de dos: o la gorda se había enamorado de un rockero y se estaba haciendo la pesada, o estaba mucho más en la olla de lo que yo creía.

—¿Qué hacés por acá? —dijo con voz de petardo dulce—. ¿Viniste a cobrar lo que te deben?

—¿Qué me deben?

—No sé, ese otro chico que estaba siempre con vos… ¿Cómo es que se llama?

—¿Juan?

—¡Ése! Vino el otro día y parece que se fue contento con un cheque. ¿A vos no te llamaron?

—No, doña… (¡Socorro, no me acuerdo el nombre!). Yo quería ver si me podía hacer un favorcito.

—Mirá que yo para hablar no sirvo.

—No, es que... quiero recuperar algo y no quiero pedírselo a ninguno de ellos, ¿vio?

La gorda se quedó petrificada en la hornalla hasta que se dio cuenta de que se le había hervido el café.

—¡Mierda, Pablo, vos y tus ojitos! Mirá lo que me hacés hacer.

—Yo no le hice hacer nada todavía.

—Bueh... ¿es chiquito?

—¿Qué cosa?

—Lo que te tengo que traer.

¡Divina, la gorda! ¿Por qué no me tocó una madre así, sin vueltas? Bueno lo de sin vueltas es un decir porque a la hora de explicarle que tenía que buscar un disquette me sacó cagando.

—Pero mijo… vos pedime algo que yo pueda… no sé, esas cositas negras son todas iguales. Yo que sé cuál es cuál.

Ella se refería a los disquettes, pero por un momento se me cruzó la imagen de las hermanas hormiga. Se la simplifiqué:

—No, no... Está bien: usted tráigame todos los que encuentre en la gaveta de ese año, y yo le digo. ¿Sí?

—¿Pero vos que querés ver ahí? —dijo la gorda, queriendo hacer notar que no era boluda.

—Un dibujo.

—¿Estás seguro? ¿No me estás?...

—¡Le juro!

—Che, ¿vos nunca me vas a tutear?

Cuando salí a la calle yo estaba eufórico. Sin proponérmelo había tenido una conversación simple. Había sonreído y me habían querido. Además, si no lo habían borrado, el dibujo de Olga estaría allí y podría examinarlo. Todas buenas noticias, excepto que después pensé que en realidad, aunque la gorda me consiguiese el disquette, me estaría dando un duplicado. La grabación de algo cuyo espíritu primario seguramente ya se había desvanecido en el aire. "Hay que tener antena", me habían dicho las hermanas hormiga. "La gente guarda las copias y tira los originales."

Era un comentario chillón, como todos los de Nidia y Priscila, pero tenían razón y ahora nada tenía mucho sentido. Mi coche estaba a una cuadra y me alegré de tener que caminar. Al atravesar la plaza, buscando apropiarme de algunas migas de pan, me arrimé a las palomas. Fue entonces en ese banco soleado, en el que me había puesto a esperar el momento oportuno de poder obtener algo para amasar en las manos, que pasó lo que yo no hubiese querido que pasara: dormirme.

Sueño 3. Serie B.

Cuando Bardo sueña es un actor. Un actor que bebe el sueño de dios. El actor se miró al espejo, se sacó la peluca y dijo: " Imbécil, pérfido, imberbe... ¡Oh triste y sombrío hijo come CD!"

Era un sueño tan largo, como un día sin agua.

El actor puso su peluca roja sobre el velador y una luz rosada empezó a sangrar desde un rincón del techo. Repasó todo en voz alta: "Ven a mí, no temas... Tu silencio es el heraldo de mi alegría. No digas nada. Deja que tus labios se abran..."

Luego corrigió: "Es otro, otro el que habla".

Buscó la liga, prendió el encendedor, calentó la cuchara y continuó: "Seré tu doctor. Entraré en ritual de oración en cada una de tus venas. ¡Tócame, perdóname, bórrame, destrúyeme!"

El actor se quedó sin aire y la luz roja del techo pinchó su estómago atravesando su ombligo.

"¡Que la encuentren!", continuó, "¡Os desafío a encontrar mi mortalidad!"

Nada pasaba. Era un sueño tan largo, que ni siquiera tenía asientos... La puerta golpeó las paredes. Las paredes golpearon la cama. La cama lo golpeó a él.

"¡¿Quién es?!", gritó con furia el actor.

La voz le respondió: "Maestro, lo esperan en escena. ¿Por qué tardó tanto?"

Y el actor, incorporándose contestó: "No tardé tanto. Una vez tardé más en matar a una persona."

Podría haberme despertado un jubilado, unos de los chicos que juegan a la pelota, un transeúnte cualquiera. Pero no, me despertó el barrendero de la plaza.

—Che... ¡te van a robar los zapatos!

En ese momento, él no era un hombre, era un árbol. Una voz seca que me estaba avisando algo que no estaba ocurriendo. Mis zapatos estaban bien anudados a mis empeines y no entendía su alerta. " Es que parecías como recién muerto", aclaró tontamente. Pero, si estaba muerto, ¿cómo podría defenderme? Miré sus pies. Tenían un calzado abotinado de un color, y otro tipo náutico, de otro. ¿Los habría encontrado tirados, como yo encontraba los míos, o se los habría quitado a algún cadáver, y de ahí su repentino interés sobre mi cuerpo?

Yo estaba tratando de no olvidarme de lo que había soñado recién, y no quería distraerme mirándolo. Además, mis ojos estaban apoyados dentro de sus ojos y sentía que si me levantaba, y me iba de golpe, algo de mi sueño iba a quedar pegado a su córnea.

Él permanecía impávido, como si hubiese presenciado el crimen que mi padre decía haber cometido en mi sueño. Su rostro tenía una tensión extraña, entre blanda y dura; y cada uno de sus músculos parecían moverse levemente con el viento. Mi miraba como si dudase si efectivamente no era yo el muerto, y él fuese entonces la corteza de mi cuerpo reconociéndose antes de partir. Pero no, él existía fuera de mí. Sus pupilas flotaban de arriba hacia abajo, arrastrando otro ser, otra historia y otra coincidencia. Decidí despertarme de una vez y contestar:

—Gracias... muy amable por avisarme. (¡Tarada frase!)

Al ponerme de pie noté que él era aún más alto que yo, y me encantó esa insólita, acogedora imagen. Hacía siglos que no tenía esa sensación espacial. Se puso a mi costado siguiéndome hasta el auto, y aunque yo tenía prisa, debo confesar que disfruté que retrasara sus pasos de esa manera tan respetuosa, como dándoles tiempo para que echen raíces. Era extraño. Llevaba puesto un escobillón muy grande que apretaba al mango, pero no tenía una sola pala. Y no pude entonces dejar de pensar por qué de todos los barrenderos del planeta, me habría tocado justo el que barre y no recoge lo barrido.

Urgente. Encendí el motor. No quería otra vez estar con personas que pudiesen ser un enfermo mental. Pensé: "cambio y fuera". Pero él se agachó frondosamente con todo su extenso tronco, y señalándome los zapatos dijo: "¡ojo!". Luego arranqué, y la sensación de su locura se fue ablandando dentro mío, despacito, igual que un chocolate en rama.

Manejando de regreso a casa, noté que el auto me quedaba holgado, como si mi cuerpo, por algún motivo, hubiese encogido. Traté de recomponer el día. Pensé: " Lo de ir a buscar a Olga en otro concurso era lógico y estuvo bien. Lo de ir a ver a la gorda del café y convencerla que me trajese el disquette con el polígrafo, también creo que estuvo bien. Lo de soñar en una plaza, ahí en medio de la gente, no estuvo bien. El solo hecho de soñar creo que ya no está bien. He llegado a la atroz conclusión, de que mis sueños son mis tachos de basura. Este es un tema que debo retomar. Pero lo peor de todo creo que fue el barrendero. No me gustó que se metiera de cuajo en la retina de mi sueño, ni que pareciese saber a quién finalmente mató mi padre. No me gustó que me señalase mi responsabilidad ante los zapatos que venía recogiendo de la calle. No me gustó que fuera más alto que yo y que esa sensación tierna me gustase y me achicase. No me gustó su colección de buenos propósitos y que moviese la basura de lugar sin saber qué hacer con ella. No me gustó recordar que hacía apenas unos días, al abrir una bolsa que había recogido cerca del zoológico, creí encontrar exactamente los mismos residuos que yo había ya examinado y tirado una semana atrás en el extremo opuesto de la ciudad. Conclusión: o alguien estaba robando mi basura reclasificada, o la basura iba y volvía inútilmente y nunca en realidad era eliminada del todo. ¿Sería por eso que este estúpido barrendero no llevaba pala?

Seguí manejando en mi mejor zombi y traté de desacelerarme. Estaba haciendo conclusiones sin ninguna transición y el auto me corcoveaba. Para calmarme quise desenvolver unas pastillas que venían en papel reciclado. Ese papel obvio que todavía tiene pelusa, y una especie de flecos de color tan microscópicos que sólo se ven al sol. Y fue exactamente aprovechando un rebote de luz en el alto de un semáforo, que me pareció reconocer en esos flecos minúsculos, una diminuta hilacha de ese eterno repasador naranja con el que la empleada de mi madre cebaba mate. ¿Sería el mismo? El semáforo se puso en verde, yo saqué el pie de mi estado de embriaguez y traté de avanzar, pero unos pedazos de menta se me frenaron en la garganta y empecé a las escupidas, como si todas las cosas hubiesen perdido su inocencia y entrase nuevamente en colisión con ese intragable universo de mantelitos y bandejas que era mi madre.

A propósito... ¿por qué Juan habría vuelto al C.I.L, y por qué la gorda dijo que le habían dado un cheque? "Guarda Pablo, casi te tragás un cordón." Rebajé y reflexioné: "¿cordón de la vereda?, ¿cordón umbilical?, ¿cordón de los zapatos?..." El auto era cada vez más grande, y yo ya no podía hacer ninguna maniobra.. No me sentía bien. Estaba siendo aspirado por una rara marcha atrás.

BOWLING SIGUE CON LAS COMPARACIONES

Cuando llegué al depto, lo primero que vi fue las bolsas que me habían traído las hermanas hormiga, y que no había abierto todavía. No se habían movido. Evidentemente eras bolsas muertas, pero tenía miedo. La basura que yo mismo recogía no me asustaba.Nunca tuve temor de abrir una bolsa y encontrar un cadáver, o una rata, pero… con estas cuatro bolsas, escogidas y traídas a mi casa por otros, estaba paranoico. Intenté no obstante acercarme a ellas, hasta que pensé que la sola radiación de su incierto contenido podía contagiarme de algo. Miré desde lejos otra vez las etiquetas… Realmente, poner los datos precisos de la recolección había sido un gesto amable. ¿Creerían en la veracidad de mi trabajo? Esa fe de Nidia y Priscila me sirvió para pensar que, a esta altura, yo podría mentir e igualmente me creerían. Ensayé: "… en el mes pasado se consumió 30% más de congelados y 10% menos de cosméticos. Los envoltorios de lácteos encontrados corresponden a las marcas..." Luego insistí: "¿Si me creyeron aun cuando decía la verdad, por qué no me creerían ahora que sabría mentir a su necesidad y medida? ¿Por qué tuve que hacer lo que me pedían, tan bien? ¿Por qué me dejé apartar de mi verdadero interés?" Entendí así, que la excusa de ganar dinero mientras estaba en lo mío, había dejado de ser cierta. Necesitaba no distraerme con marcas o boludeces. Necesitaba hacer lo mío, nuevamente.

Me fui a lavar las manos, y en el espejo del baño noté que las manchas rosas de mi cara habían aumentado. "¡Mierda de crema antialérgica!", dije. Luego pensé: " la culpa la tienen esas bolsas ajenas." Y decidí devolverlas a escondidas, para no ofender ni a Nidia ni a Priscila. "Quizás a las veintitrés", planeé. "Cuando la cuadrilla municipal ya viene recolectando y uno puede echarlas directamente dentro del camión, sin que se note".

—Hola, Pablo, ¿estás ahí?

Era la voz de Juan. Yo había dejado distraídamente la puerta abierta y Juan había entrado como perico por su casa. Lo acompañaba Bowling. Extraña pareja... Creo que se me notó la sorpresa en la cara, porque Juan enseguida dijo:

—Lo encontré abajo husmeando el portero eléctrico. Dice que es tu amigo. ¿Es cierto?

—Él sí.

—¿Me querés decir, Pablo, que yo no? Bueno, igual vine para una sola cosa: tu vieja.

—No le va a pasar nada. Vos sabés que lo le pasa mi viejo le sobra. Si te importa tanto mi señora madre, te la regalo.

—Pero es tu vieja, no la mía. Esa es la verdad. La realidad es la única verdad. ¿No es cierto pibe?

Bowling, que hasta entonces había sido un duque con el pico cerrado, estalló en una gran risa. Juan se asustó cayendo en la cuenta de que estaba frente a un aparato. Bowling aprovechó la expresión de asco de Juan y siguió riendo. Mejor dicho, siguió arrojando su risa haciéndola rebotar contra las paredes. Y después de que su risa se amasara con el revoque fino, transformándose en una especie de carcajada a la piedra... dijo entre jadeos:

—La única verdad es la realidad, pero la realidad es una gran mentira.

Lo dijo así nomás, con tono de chico y con unos dientes pastosos y sobresalientes que parecían salpicar de engrudo todas las frases que masticaban. Después, como aburrido de nuestras caras y de nuestra falta de humor, me alcanzó la correspondencia que traía del buzón, miró de reojo las bolsas intactas de la noche anterior, y… sospechando seguramente mis pruritos para abrirlas, se despidió avisándome:

—Mejor te busco más tarde.

Bowling se fue con sigilo, tratando cuidadosamente de no hacer el menor ruido, como si todo su ataque de desparpajo jamás hubiese ocurrido. Recién cuando él cerró la puerta, Juan cerró la boca. "¿Querés tomar algo?", pregunté. Pero Juan, que estaba realmente sacado, no escuchó nada y sólo después de unos segundos dijo:

—Oíme, ahí en esas cartas debe haber una de tu vieja. Dice que tenés mal el contestador automático. ¿Es cierto? Me pidió que se lo lleve, quiere escuchar sus mensajes.

—¿Los de ella?

—Sí, los de ella. Tiene derecho, ¿no?

Juan terminó llevándose el contestador con la promesa de que lo traería arreglado. Quedé tan atontado que sólo atiné a observar:

—Es nuevo. No le pasa nada.

—Ya sé, sos vos —dijo Juan—. Pero a vos, Pablo, no te puedo arreglar. Hoy además del olor insufrible del otro día, tenés el depto lleno de moscas. ¿Te diste cuenta? ¿Cómo hacés para no verlas? ¿No las escuchás aunque sea?

Preferí no contestar, y en cambio pregunté:

—¿Por qué te pagaron hace poco en el Centro?

—¿Ahí donde trabajábamos los dos hasta que te hiciste el loco? Eramos un equipo ¿no? Podrías haber pensado un poquito…

—Que yo sepa a vos no te echaron y sin embargo te dieron un cheque.

—No, a mí no me dieron nada.

—¿De qué vivís, Juan?
—Te dije el otro día: estoy por entrar en algo grande.
—¿Mientras tanto?
—Mientras tanto ayudo a los amigos.

Juan se fue con el contestador bajo el brazo y pensé en Mariela, como si la única llamada privada que pudiese haber en esa cinta fuese la voz de ella, si no estuviera muerta. Eran las once menos cuarto. Me apuré a bajar las cuatro bolsas invasoras por el ascensor de servicio. Las arrastré por la vereda hasta la obra en construcción y en la zona más oscura de la empalizada esperé el camión de la basura. Hacía frío. Volví a fijarme en las etiquetas que les habían puesto las hermanas hormiga. Podía aunque sea arrancar una y guardarla como recuerdo. Después dije "¿para qué?". Después dije: "¡má sí!...", y saqué las cuatro. En el momento en que me las guardaba en el bolsillo escuché que se acercaba el camión. Nunca antes me había fijado en detalle cómo los recolectores hacían su trabajo. Mariela una vez me quiso dar celos con unos de estos chabones y yo creí que era un invento ideológico. Una chicana basada en la fantasía de la sexualidad del chico de barrio que a mí no me tocó ser. Pero ahí estaban. Mariela no era ciega. Eran pibes de veinte o veintidós. Tenían unas espaldas muy formadas y unos tubos macizos y largos que no eran de gimnasia, ni natación. Podían rebolear de a tres bolsas a la vez, y zarandear en dos compases los tachos grandes de las esquinas. "Son una especie de bailarines de jazz y boxeadores chinos", había dicho Mariela, con un simultáneo dejo de admiración y tristeza por el erotismo inútil de su frase... Ella tampoco había sido una chica de barrio.

A ninguna chica de barrio se le hubiese ocurrido poner la cabeza en el microondas. Serían más estomacales. Tomarían raticida. Quedarían rígidas, quietas y duras, y expulsarían espuma por la boca. Definitivamente no quedarían chorreando sangre por los oídos hasta cuajar de adentro hacia afuera como un flan.

"Soy un ser inconsistente", me había dicho una vez Mariela. "Me falta lo que ya fue. Todo ya fue. No tengo nada. Ni siquiera la nada. Necesito..." Eran frases para mí incontenibles, y yo las había pasado por alto, como pasaba por alto a todas las mujeres con cara de dolor de ovarios. Pensé que en esa época yo era malo por inercia. Que ser cualquier otra cosa me hubiera dado trabajo. ¡Oh, sí!...

Hacía frío. El camión de la basura, finalmente, paró frente a mí haciendo un barullo infernal. No sé que relación puede haber entre la temperatura y el sonido, pero por segundos ese ruido estruendoso parecía estar abrigándome. Miré hacia atrás del camión, las palas recolectoras estaban abiertas y aproveché a tirar de a una y con furia, las cuatro bolsas a las que yo obsesivamente llamaba "ajenas". Me di vuelta aliviado. Me había sacado de encima lo que me molestaba. Era un desechador de intrusos como cualquiera. ¿Sería eso la normalidad: no me gusta, no es mío, lo tiro? De repente noté que los cuatro recolectores fibrosos se habían venido al humo. Uno por cada bolsa. "Debí dejar que las tirasen ellos", pensé. " No me tengo que meter con el trabajo de los demás". Todo lo fui reflexionando sin lograr por ello detener a la patota, ni al ruido cada vez más triturante de la compactadora. Para mi suerte, de un costado sombrío del camión, sorpresivamente apareció Bowling y dijo:

—Che, está bien. Es mi amigo. Es loco pero no hace nada. Es mi amigo.

Frase mágica. Bowling me llevó de la mano hacia la otra bocacalle y todo siguió su rumbo. Cuando el ruido del camión quedó lejos, Bowling detuvo el paso. Tenía las manos ásperas como si de toda la piel le hubiesen salido padrastos.

—¿Me estuviste siguiendo? —le pregunté.

—Te dije que te iba a ver más tarde —contestó.

—Decime, Bowling, ¿ustedes me llaman loco?

—¿Por lo de recién? No, eso era teatro.

—Ya sé, pero vos, Priscila, Nidia, los demás chicos... ¿cómo me llaman?

—Siberian.

—¡¿Siberian?!

—Por los perros esos que tienen, así como vos, los ojos fríos y medio raros... Sin ofender, claro.

—También son perros que no ladran, ¿no?

—Ni ladran, ni mueven la cola, y comen pescado. Son pintorescos, pero uno no sabe nunca muy bien qué son. A mí me gustan los boxers. Ese tipo.

—Entonces, ¿por qué viniste?

Bowling por primera vez me sostuvo la mirada, como tratando de demostrar saber cuál de mis ojos podía dar señales de alguna actividad. Era un desafío tonto. Pensé que se hacía tarde, que la esquina estaba helada y que no tenía sentido quedarse estático. Pero Bowling estaba rígido, insistiendo en estacar su mirada en mi entrecejo, como si ese fuese el truco para no chingarla. Después de unos segundos monolíticos, dijo:

—¿Cómo hacen las minas con vos? ¿Te cazan los ojos? ¿La pegan o no la pegan?

Ahí, lerdo de mí, recién me di cuenta de que Bowling era un chico de la calle haciéndome el favor de señalarme que yo parecía no mirar a nadie. Cruel y bondadoso, siguió:

—Te digo porque les debe gustar que seas tan alto y rubio, pero con esos ojos mirando al limbo, ¿no se asustan?

—Y a vos, ¿qué te asusta?

—La estupidez.

Me reí y nos pusimos a caminar sin saber muy bien a dónde. La estupidez, la estupidez... ¿Estaría hablando otra vez de mí, ese pendejo de mierda? Pregunté:

—La estupidez... ¿por qué?

—No, vos te extrañás pero es que es en serio. Suponete que viene acá un tipo que está en pedo, o un cana... ¿Ves?, por ejemplo un cana, o un fumado... y se manda una cagada con vos y te mete un tiro. No es por loco, es que es estúpido.

—Decime, Bowling, hablando de peligros... ¿no es tarde para vos? ¿No tendrías que estar ya en tu casa? ¿No te esperan Nidia y Priscila?

—Ellas me mandaron.

—¿A qué?

—A comer.

¿Cómo se dice: perdón, no me di cuenta ? Le pasé la mano por el gorro, como si mi mano no se hubiese olvidado de cómo se hacía un gesto de cariño, y me fijé si por ahí cerca había un lugar más o menos decente para cenar. Terminamos en El Acordeón, un sitio ensordecedor donde todavía almidonaban los manteles y hervían los platos. Dándole a Bowling el menú, y fijándome si sabía leer, le pregunté:

—¿Ya sabés qué querés?

—El lomo con papitas —me contestó alegre.

—¿Papitas porque las querés chicas?

—No, papitas porque las quiero ricas.

Bowling siempre era un pellizco. Recién se relajó cuando le hicimos el pedido al mozo. Se dejó puesto su inamovible gorro, y en cambio empezó a sacarse los tres sacos de lana que llevaba superpuestos como único abrigo. Pensé: "creo que en la casa de mi vieja debo tener algunas camperas de la época en que cursaba séptimo. Por ahí hago una excursión y le busco una". Después, por curiosidad, indagué:

—Che, Bowling... ¿en qué grado estás?

—Quinto.

—¿Repetiste?

—No, me repitieron a la maestra que no es lo mismo.

—¿Una imbécil?

Bowling empezó a reír y conociendo que su risa podía llegar a ser un tornado, lo paré a tiempo. "¡Mirá, llegó la Coca!", dije. Pero en ese momento entró un tipo con un travesti, y Bowling, mirando sólo la mesa en que la pareja se había sentado, ni rió ni quiso tormar nada. Fue ese el día en que tuvimos nuestra primera conversación seria, y por momentos triste, sobre el sexo.

—¿Qué pensás sobre eso de la prostitución legal? —preguntó Bowling ya con un reanimador pedacito de lomo en la boca.

—Me parece bien, todos tienen derecho —contesté.

—¿Derecho a qué ? —dijo Bowling salando las papas.

—A ejercer el sexo como les parezca.

—¿Y eso qué tiene que ver? —siguió el enano.

—¿Por qué? ¿Vos estás en contra de la legalización?

—Y... que te den permiso para ser puto, sería como darte permiso para ser pobre, ¿no?

Ahí me avivé. Para Bowling la prostitución se daba cuando no te quedaba otra.

—Primero vendés tu cabeza y después recién tu culo —dijo—. El culo es sagrado. Si te lo tocan es terrible. Pero si te toquetean la inteligencia, o te manosean la imaginación, nadie se da cuenta. No sé por qué pero es así. ¿No viste que podés transar tu bocho por ocho o diez horas en una oficina y nadie te dice nada... y en cambio entrás quince minutos en un telo y ¡chau!... te mataron?

Hasta entonces yo no sabía que estaba hablando de la muerte de "mamá Carlos" y creía que tenía algo conmigo. Nos quedamos así en silencio unos cuantos minutos. Picoteamos las papas, nos servimos más Coca, hasta que terminando ya el lomo, trajeron el budín de pan y se armó nuevamente la rosca.

—¿Vos por qué vendés así la basura? —dijo Bowling.

—Así, ¿cómo?

—En raiting. Sos el ¡"rey del raiting" de la basura!

—Es un trabajo que me deja hacer otras cosas.

—No creo que hagas otras cosas. Sos como esta pasa de uva.

Se refería a una pasa que había apartado del budín de pan para aplastarla con un tenedor, y poder seguir explicando:

—¿Ves? No tiene semilla.

—¡Huy, no!... ¡Bowling! Antes me explicaste cómo eras vos, con un tomate, y ahora... ¿me querés explicar como soy yo, con una uva?

—¡Es que es así! A la pasa esta la hicieron nacer sin semilla para que no joda. Que toda perfectita, toda modernita... Pero si todas las pasas nacen sin semilla, va a haber un día en que la planta va a querer volver a tenerlas y... ¡caput! ¡Se finí!

—¿Sabés francés? —pregunté maliciosamente, al darme cuenta de que el monstruito se refería a mi esterilidad afectiva.

—Soy muy chico —contestó con cancha.

Era inútil enojarse con Bowling. Pagué, fuimos a buscar el auto, y lo acompañé hasta su casa sabiendo que no le gustaría nada que aprovechase la volada para preguntarle por las hermanas hormiga. Me dijo que eran muy buenas, que lo cuidaban mucho, que eran muy pobres pero no indigentes, que no era que no le dieran comida, sino que no comían carne, y que si lo habían mandado para cenar conmigo, era para aumentarle un poco los glóbulos rojos, que eran buenas parteras, y... "eso y nada más". Pregunté:

—Oíme, Bowling, ¿por qué son tan flacas? ¿Todos en el puente son así de flacos?

—Algunos a veces sí, pero después engordan. A Nidia y Priscila en cambio, aunque les enchufés dos ollas de polenta, no te engordan un gramo. No retienen nada en el estómago, se les queda todo en la cabeza.

—¿Qué...? ¿Estudian mucho? Decime, ¿qué hay en las bolsas esas que se mueven?

Bowling no contestó, estaba serio. Sólo dijo que parásemos y que dejásemos el auto donde todavía había algo de claridad. "Es mejor caminar lo que falta ", agregó. No me animé a preguntarle nada más, ni siguiera cómo hacía para esquivar los pozos negros del pavimento. Permanecí en silencio, atento a ese viento que de golpe parecía estar palpándome de armas. Y fue entonces, en aquel momento de gran distracción, en que surgió ante mí el olor de la noche muerta. Apareció como una madre pútrida, ida y reclamante, exigiendo la contraseña que yo no tenía. Notándome extraño, Bowling dijo:

—¡Vení, Siberian! ¿Qué pasó, te piraste? Dame la mano que acá es fácil escurrirse por las alcantarillas.

—Llamame Pablo —dije, y me dejé guiar sin ver absolutamente nada.

Al tiempo, no sé cuánto, una pequeña cortina de cretona dejó pasar una luz, y el perfil de las cabezas de las hermanas hormiga surgió de golpe. Les dejé a Bowling y me dieron una linterna como sabiendo que era incapaz de regresar solo a oscuras.

"Hoy es lunes, o quizás ya sea martes. Hoy es martes, pero quizás no lo sé". Repetí esta frase pateándola constantemente con la linterna. Intentando que en la repetición pudiera caminar más rápido hacia el auto. Recuerdo que alumbré sólo mis pies, ya que tenía pánico de ver lo que me rodeaba, y sentí, más que nunca, vergüenza de mí.

El plan de Juan

Fue fácil. En casa me propuse pensar que la almohada era una enorme y esponjosa miga de pan debajo de mi cabeza, y me dormí...

Sueño 4. Serie B.

Si hoy es hoy... ¡feliz día del padre!

Antes de eso, Bardo, debo confesarte que vi ese glaciar que caminaba fracturándose con la elegancia luminosa de un jedi.

¿Habrá sido así padre como avanzaste hacia mí, hoy?

Sé que sufro. Y sé del peligro de ser descubierto por ti cuando te estoy soñando. ¡Oh padre mío!, padre nuestro, padre vivo que estás en el hielo, tan feliz o adormecido.

¿Sabes que aquí hay gente que nunca abrió una ventana?

¡Ayúdame, padre! No vengas.

Al despertar supe sin lugar a dudas que era martes. Estaba deprimido y sentía que toda la habitación estaba cubierta por una nata. Intenté olvidar la conversación con Bowling, pero no pude. Al final, ¿era o no era prostitución dejarse manosear los pensamientos? No sabía si era una pregunta ética o una pregunta ingenua, así que retomé inmediatamente mi trabajo. Las bolsas que yo había sacado de mi casa, habían dejado sobre la alfombra un surco profundo y marrón. Si todas las demás bolsas perdían, iba a tener un problema serio. Decidí revisarlas. ¡Error! Hacer eso fue como un raconto y los racontos son pretenciosos. Creen que los hechos son ciertos y te magnetizan con la ilusión de un orden. Recapitulé: "uno, renuncié y me puse a robar basura. Dos, busco a Olga y a su dibujo. Tres, hay bolsas de la basura que se mueven y no sé por qué. Cuatro, encontré tirados zapatos y papeles que me interesan. Cinco, sueño más con mi padre. Seis, Bowling... algo sabe. Siete, puede ser que yo esté enloqueciendo".

Así, contando, es que llegué nuevamente a un estúpido Martes. No iba a ningún lado. Todas las cosas que me atraían estaban en esa habitación. No abría mi correspondencia ni tampoco por supuesto la tiraba. Me daba terror que alguien parecido a mí se llevase mi basura. (¡Fisgón inmundo!). Lo mejor fue quemarla en privado a medida que iba llegando. Decidí que el mármol del lavadero fuese el crematorio. Primero plegaba en forma de abanico los sobres del Banco, y luego los de mi madre. Apoyaba el pucho y la llama bajaba casi sin humo y sin cenizas. Martes, quizás tercer Martes. Juan apareció. Dijo que estaba de joven profesional en una Orga Ecológica grosa. No sé cómo hizo, si ya era de 24 como yo. Quizás falsificó la cédula. Es llamativo cómo la gente se atreve a falsificar cosas. Para entonces yo tenía una colección de imitaciones de firmas que había logrado recoger entre la basura. Algunos ensayos furtivos de esas imitaciones, estaban sobre servilletas usadas y periódicos manchados con mate. Eran ejercitaciones distraídas sobre fotocopias de títulos de propiedad o post grados... También había adulteraciones más sutiles, que a veces simplemente asomaban de las cajas vacías de los remedios.

—Juan, la basura no miente.

—Delete Pablo, la basura enloquece.

Apareció Juan. Llamó, vino, y se llevó el auto. Todo junto ese mismo martes.

Las hermanas hormigas se enojaron conmigo por permitir que Juan me dejase sin transporte. Ahora ellas volverían a recoger sus bolsas, solas y a pie, y no conmigo en el auto, como otras veces. Pero Juan tenía razón: yo no podía seguir recogiendo más basura, cuando francamente con la que ya tenía, no daba abasto. También me ayudó con las moscas, ya que desde que me alertara de su presencia, no había podido dejar de escucharlas y era desesperante.

—Hacé como se hacía antes... Nada tóxico.

Después de decir esto, Juan se quitó el saco y compulsivamente, llenó con agua un montón de bolsas de polietileno. Eran como placentas cazamoscas... y las fue poniendo por todos lados. Unas diez arriba de la videoteca y otras veinte colgando de cada dicroica.... Enseguida pensé: bolsas negras con basura en el piso, y bolsas transparentes con agua en el techo. Una buena separación de códigos que funcionó hasta que, Juan, buceando en mi oído, dijo:

—Tranqui, Pablo, la eco es así... te inunda la cabeza.

Creí en ese momento estar atravesando un estrepitoso ataque de hidrocefalia repentina. Juan apartó una de las placentas cazamoscas que le impedía pasar por el marco de la puerta, y antes de despedirse dijo que, por si me interesaba, a la vieja "torcida" del famoso concurso homérico, creía haberla visto entrando a una zurcidora, acá a una cuadra.

¿Por si me interesaba? No estaba muy seguro de haberle dicho a Juan de mi obsesión por encontrar a Olga, pero todo retumbaba y no era la primera vez que, en ese estado, terminase Juan de convencerme que estaba haciendo algo por mí.

¿Qué habría ido a zurcir Olga? Mi madre nunca zurcía nada, tiraba sus medias rotas a la bolsa del cotolengo, diciendo que para remendarlas estaba el ejército de salvación. ¿Sería eso Olga?... ¿la salvación? ¿Por qué le importaba a Juan que la encontrase?

Durante muchos días fue martes. Increíblemente había comenzado a vencer las moscas, pero si bien las manchas de la cara se me habían ido disimulando, mis pulmones continuaban como los de un minero. Debí tomar medidas extremas. Algo me decía que ya tenía suficiente.

De toda la basura recopilada, luego de muchas vueltas, me quedé sólo con 20 zapatos y 4 documentos: el diario de un psicoanalista, el cuaderno de notas de un cameraman, el informe de una presa, y un toco de manuscritos con una letra que me resultaba conocida pero que todavía no había ubicado muy bien. Eran todas cosas, que más allá de la contaminación de moho y óxido que tenían, me llevaría mucho tiempo terminar de descifrar.

Del resto de desperdicios decidí deshacerme poco a poco. Junté así unas trescientas bolsas. Ninguna de ellas virgen. Todas ellas eran el resultante de tres a ocho barrios entremezclados. "Basura de segunda naturaleza...", solía decir. Fuera lo que fuesen, las fui dejando cerca de las oficinas de los fulanos que ya me habían copiado la idea de hacer, del análisis de la basura, una fuente de ingresos.

Salía a repartirlas en taxi, un gasto inútil, y muchas veces un acto riesgoso por la cara que ponían ciertos taxistas al verme subir con semejante carga. A ninguno de ellos le gustaba que le pusiese diez bolsas de apestosos residuos arriba del auto, pero me divertía con malicia el hecho de estar guiando a mi competencia.

No sabía muy bien si era yo el que había elegido dejar de trabajar en esto. Si era un acto de claridad mental, un problema de salud, o era la realidad del mercado la que me imponía salirme del plato. Había dejado de ser el único. Había dejado de ser la novedad. No fue necesario falsear ningún dato, para que de la noche a la mañana, todos mis fieles clientes imaginaran que les venía mintiendo. Era sólo ahora el loquito al que se le ocurrió primero. O sea el loquito al que nunca más había que llamar porque seguro lo inventaba todo. Consciente o no, había quedado excluido. No sabía de dónde, pero visiblemente para los demás estaba afuera. Lo que no era visible era que, para mí, yo estaba afuera del afuera. Así que en un ritual de despedida dejé en herencia esas bolsas.

Algunas contenían cosas importantes que después necesité, y que, como me recordasen amistosamente las hermanas hormiga, hasta me hubiesen dado de comer. La prueba estaba en aquella colección de falsificaciones que oportunamente vendí a la BBC de Londres, con la ayuda de Juan, que a la semana había ritualmente vuelto a aparecer.

Sí. Juan volvió y se llevó el televisor. Nidia y Priscila me habían dicho: "¡Ay nene!, ¿no te das cuenta de que tu amigo se te lleva todo?" Pero Juan tenía razón, el aparato no habría resistido tanta cantidad de formol y había que llevárselo para chequearlo, "junto con la compu, de una vez", claro...

Juan había dejado su trabajo en ecología, y ahora estaba de training en una orga internacional de protección a la niñez. Ahora parecía de veinte, y yo, según él, de treinta y dos. Llenó la heladera con jugo, y antes de irse tarareó jocoso:

—Juan y Pinchame se fueron al río. Juan se ahogó. ¿Quién quedó?

¿O a mí me parecía, o Juan se mimetizaba con cada trabajo que cambiaba? Cuando estaba en la onda verde espantaba las moscas con agua, ahora que está con el tema de la niñez habla como maestro jardinero. Juan y Pinchame... ¿quién quedó?

¡Puta!, había quedado el contestador prendido, el que Juan me había devuelto supuestamente arreglado. TE COMUNICASTE CONMIGO, HABLÁ DESPÚES DEL BEEP:

—Hijo, no creas, hijo, que yo creí que tenían razón. Te buscan. Pagué las cuentas. Te buscan. Ellos tenían razón.

Siempre tan clara mi madre. ¡Una diosa!... Volví a la pregunta infantil de Juan. ¿Quién quedó?... ¡Qué sé yo!, si lo decía por mí, lo que había quedado era alguien desesperado por tirarlo todo. Especialmente a Juan, aun cuando antes de irse me avisara:

—¡Ah...!, me olvidaba. A la vieja torcida la volví a ver entrando a la zurcidora. ¿Ya fuiste?

¡Puta madre! ¿Tanto le interesaba a Juan saber de qué podía yo hablar con Olga?

Asimilando casualidades

Hay preguntas que no deberían hacerse. Que deberían quedar en el exilio. Una vez, sobre el tetra pack de una leche tirada en un baldío, encontré que habían escrito: "¿cuántos hombres recuerdan lo que hicieron, pero no lo que esperaban?" La guardé. No decía nada más, pero la limpié bien, la guardé, y al rato la busqué. La saqué de la pila de orgánicos envasados, y tomé la última gota de leche agria que por suerte le quedaba.

Había aprendido a discriminar, cuándo algo se tira para no ser leído y cuándo algo se escribe para ser tirado. Tenía la autoridad para preguntarme, ¡oh ingrato de mí!, ¿a qué náufrago demente se le puede ocurrir pedir auxilio arrojando su mensaje al mar de la basura? ¿A quién? A muchos... Incluso a mí.

Sí, Juan, fui a la zurcidora y me pinché con su misterio. Caminé por la vereda que me dijiste, sin poder dejar de verlo: "Zurcidora. Zurcidos invisibles. Remiendos de primera calidad". Un cartel enchapado, con tipografía del 30, que hacía suponer que detrás de esa ventana altísima con cortinas de macramé, habría una señora mayor con una calabaza y una mecha imperceptible de hilo delgado. ¿Olga? No, Olga no era ese perfil, pero allí supuestamente iba Olga. Así que un martes como todos los otros de esta semana, clavado frente a esa casa antigua, y queriendo inútilmente prender un pucho con un fósforo usado, levanté la vista, toqué el timbre, y me respondieron:

—¿Busca a la zurcidora? No, mire, si lo dice por el cartel, le aclaro que es de adorno. Porque zurcir zurzo, pero no lo que usted cree... Perdone, pero hasta ahora nadie se lo había tomado en serio.

Ella era luminosa. Una mujer que parecía recién salida de la lluvia, de la risa, y de la música. Hablaba con un cierto dejo italiano del siglo pasado, y en la desesperación de perderla, antes de que me cerrara la puerta tuve una brillante idea:

—No espere, me manda Olga.

—¿Quieénn?

La idea no fue brillante, porque yo no sabía el nombre verdadero de Olga, pero me salvó el hecho que luego hice una inclinación marcada de tórax, llevando la cadera totalmente a la izquierda y el hombro totalmente a la derecha... tal como recordaba que los tenía la vieja en cuestión. La bella zurcidora por suerte respondió:

—Ah, la señora Stein... No sabía que se llamaba Olga. Entre por favor.

Me hizo pasar y se puso seria. Quizás tendría unos años más que yo, quizás por eso fuese tan hermosa. La miré una y otra vez siguiéndola por ese largo corredor típico de las casas chorizo, y cuando por fin creí poder simular no estar imaginándomela desnuda, llegamos a la sala y dijo:

—¿Por qué esa cara? Esto es, no sé... La señora Stein, ¿no le había advertido?

El lugar era abismalmente magnético. Un cuarto totalmente empapelado con rosas gigantes que lo forraban todo: zócalos, aberturas, piso y techo... En el medio, flotaba una larguísima mesa de cristal con ocho pequeñas note books. Estaban conectadas entre sí y parecían estar tejiendo, solas y al mismo tiempo, la misma deshilachada pregunta. Me aterroricé. Creí que había entrado a un extraño calidoscopio de pétalos informáticos. Estaba sin ningún control. Ella lo advirtió:

—¿Se siente mal?... Si espera, termino lo de la señora Stein y se lo lleva.

Abrió el CD de una de las compu, y al instante, metálicamente, se escuchó con estruendo: “*Me contaron, oh Rey feliz, que cuando el genio enviado de Maraz, entró en su presencia, la bella Barqán, dijo:*— — — — — — — — — — — — — —
´” ” ” ” ” ” ” ” ” ” ” ” ” ” ” ” ” ” ”— — — — — — — — — — — — — — — —

-

” ”

” ” ” ” ”— — — — — — — — — — — — -

—¿Qué dijo? —pregunté.

—Ese es el problema... No dijo nada.

Ella sonrió. Inclinó su vestido de seda sobre el silencio rasgado de Barqán, y sin dejar de mirar la pantalla, pacientemente explicó:

—Tengo que llenar el agujero. ¿Ve que al final soy una zurcidora?

—¿Olga también remienda textos?

—No, sólo consigue las redes.

Mientras operaba el teclado, un leve movimiento de su pelo parecía estar trayendo el perfume de las rosas de las paredes. ¿Cómo podía ser cierto que el papel oliese? Me di cuenta de que no me había tuteado en todo este tiempo, y que ése era un buen síntoma. Quizás ella no me viese tan joven.

—¿Sabe que todos estos textos los saca de la basura? —dijo ella.

—¿Qué?, ¿quién? —respondí yo.

—La señora Stein. Es increíble lo que la gente tira.

¡Oh dios!, (yo no creo en dios), pero... ¡Oh dios! ¿Olga hacía lo mismo que yo, o yo lo mismo que Olga? Si yo buscaba su polígrafo, ¿qué buscaba Olga?

Me fui sin preguntarle el nombre. Pidiéndole apenas a las corridas que le dijera por favor a la señora Stein, (¿Olga?) que la quería ver, y que yo también tenía grandes huecos de información en algunos documentos y que quería saber si podía contar con sus servicios.

—¿Los míos, o los de la señora Stein? —dijo ella.

—No sé...

—¿En qué tipo de documentos tiene vacíos?

Pensé en hablarle de los cuatro documentos que me había negado a tirar, pero sólo arriesgué:

—En zapatos.

—¡¿Zapatos?!

—Sí, tengo serios agujeros de comprensión en algunos zapatos.

Sonrió, y se despidió diciéndome:

—Está bien, tráigame primero los zapatos. Después quizás hablemos con la señora Stein.

Al alejarse, entendí que su música venía de la seda, y que yo estaba corriendo el riesgo de convertirme en el más cursi, ridículo y rococó de los mortales. A partir de ese día dejó de ser martes, y tuve nuevamente fuerzas para ir a la autopista. Hacía siglos que no hablaba con Bowling…

Pablo recibe una advertencia, pero no se da cuenta

El día que decidí que no fuese martes, salí eufórico a la esquina a comprar el diario para ver en qué día real estábamos. Ya no tenía televisor y la única manera no vergonzosa de saber cómo contar nuevamente la semana, me pareció que podía ser ésa. ¡Oh sorpresa!, era miércoles. Podría haber decidido que ya no era martes, y ser entonces jueves, o domingo... Creo que estaba preparado para que fuese cualquier día, pero no justamente el siguiente. “Qué buena continuidad”, dije, “miércoles 20 de julio”. Todavía hacía mucho frío y me sentí mal por no acordarme de conseguirle una campera a Bowling. Pensé que si mi olvido se había producido porque me costaba ir a la casa de mi vieja, bien hubiera podido comprarle un abrigo cualquiera. Después me di cuenta de que mis finanzas se habían desvanecido, y que no tenía más opción que la de darle mi ropa usada. Me entusiasmé entonces con la idea de pedirle a Bowling que me acompañase a lo de mi madre, y ver así la cara que pondría al conocerla. ¿Sería peligroso volver? Mi madre había dejado el mensaje: "te buscan, tenían razón." ¿Me buscarían del trabajo anterior? "Si yo no hice nada", pensé. ¿Se habrían enterado de que le pedí a la gorda que me consiguiese ese disquette? Seguí: "¿Pero a ellos qué les calienta? Después de todo, ahora con la zurcidora, podía directamente preguntarle a Olga por su dibujo sin necesidad de ningún disquette. Salvo, claro, que en él hubiese algo más"...

Estaba excitado, decidí hacer un alto en un bar y leer el diario. No entendí ninguno de los titulares de ese día, y más por sonambulismo que por convicción, llegué a las páginas de bolsa de trabajo. Pedían corredores y se ofrecían analistas. Nunca había una

Correspondencia. Sólo en las páginas de ofertas sexuales parecía existir una relación de paridad. Desde el secundario que no las leía. Eran una de las partes del diario que yo había decido que no fuesen para mí. Me daban pudor y me sentía un marica por tenerlo. En todo caso, viéndolas luego de tanto tiempo, vi que algunas propuestas porno eran muy graciosas. Otras eran tan morbosas, que se intercalaban en los avisos fúnebres. Fue entonces que, siguiendo la pista erótica de una tal "incomprendida", me topé con la lectura del aviso fúnebre de la gorda cafetera. Así de repente, sin dudar, reconocí el nombre que había olvidado: "Rita Cantoni Q.E.P.D."

Según me dijeron sus amigos, (estuve en el velorio pero no quiero contar mucho esta parte), falleció el martes 19 de julio en un accidente de trabajo. Cuando fue a calentar el café, una gran llamarada prendió fuego a su obeso delantal, y cuando quiso apagarlo estaba tan aturdida que confundió el bidón del agua con el del alcohol de quemar.

"... Mierda Pablo, vos, y tus ojitos" , "mirá lo que me hacés hacer", "bueh, ¿es chiquito?", "lo que te tengo que traer..." Recordé este último diálogo, y sólo saber que la dejaba velada por un barrio que la quería, me recompuso un poco. Rita: ¿cómo pude olvidarme de su nombre, si ella nunca había olvidado el mío? Estaba tan acongojado... que me puse a pensar cosas graciosas, y a partir de ahí desarrollé un sentido del humor que antes creí que no tenía. Descubrí que podía decir chistes. Y cuanto más tontos eran los chistes, más cercanas parecían las personas con las que me fui topando ese día, como si el hecho de que yo pudiese reírme, las tranquilizara sobre mí. La risa empezó así a transformarse en un pasaporte hacia mi tan buscada normalidad, y por unas horas de ese fúnebre miércoles, me sirvió. Me sirvió hasta que me di cuenta de que reír me llevaba peligrosamente a un espacio aún más solitario que el dolor y que yo no sabía amasar la risa como lo hacía Bowling. Fui a verlo.

Las lecciones de Bowling y las hermanas hormiga

Eran las siete. Chicos y perros compartían los mismos huesos de chiquizuela. Bowling estaba jugando al fútbol entre la bocacalle y el zanjón de hierros oxidados que bloqueaba el puente. Era el más tronco, y el más chueco de todos, pero era el líder. Y por un extraño derretimiento de los polos, me sentí orgulloso de él, como si el efecto invernadero por el que venía atravesando me hubiera dado ganas de adoptar un hermano. Apenas lo vi, le dije:

—Che, te vine a buscar para ir a la casa de mi vieja y ver si ahí quedó un poco de ropa mía para vos.

—Me la voy a pisar —dijo Bowling en tono sobrador.

—No, ¡zonzo!... Es ropa de cuando yo era chico.

—¿Chico y petiso, o chico y alto? Porque yo soy tapón, tapón.

—(le mentí)... No, si yo a tu edad era como vos, después crecí.

—¿Me dejás ver cómo ves ahí arriba?

Lo subí a caballito, y al segundo me dijo que se mareaba, aunque en realidad creo que le pareció que ya era muy grande para ese juego. Cuando lo bajé, me hizo notar que a la altura que yo miraba no se le veía la cara a la gente. Dijo: "sólo ves molleras, te perdés todos los gestos". Decidí desde entonces prestar más atención al dibujo de las caras. Me agachaba y las buscaba. O simplemente me sentaba en una esquina, y esperaba que apareciesen. La cara de las hermanas hormiga, por ejemplo, cuando les dijimos con Bowling que nos íbamos a dar una vuelta, fue espectacular. Ambas se arrugaron al unísono, zarandeando el poco pellejo que pudiesen tener en sus mejillas. Creo que entendieron que yo estaba realmente feliz de volver a verlas, y no hicieron ninguna pregunta con respecto al tiempo que desaparecí, durante mis lapsus continuados de días martes. De todas maneras ya se habían enterado por sus medios de que yo había estado diseminando mi colección de basura, y sólo quisieron saber con qué me había quedado. Pidieron que fuera muy preciso en las descripciones de cada cosa, y las obedecí sabiendo que no tenía ninguna obligación de darles parte de nada.

Siempre Priscila, la de la boca pequeña, era la que me daba más temor en sus reacciones. Y cuando conté que en estos días iba a llevar unos zapatos para analizar, fue ella la que me retorció la muñeca diciéndome: “Nene, vos tratá de no mostrar tus cosas por ahí. ¿Eh, chiquito...?” ¿Cómo podía tener tanta fuerza una mujer tan flaca? Me habían recibido en su vivienda. Una especie de habitáculo de cemento, hecho de distintas medianeras: parte puente, parte casilla de guardabarreras, parte loza de garage... más otros vericuetos con remiendos irreconocibles. También estaban, amalgamados al lugar, unos pequeños escalones de hormigón que no conducían a ningún lado y servían generalmente para sostener tréboles y helechos hasta las alturas más insospechadas. Yo empecé a sentir más frío ahí adentro que afuera. El lugar era muy húmedo, y la cocina de kerosene no daba abasto para secarlo. No obstante me sentía muy bien. Me habían dado el mejor asiento, uno de colectivo con los resortes en buen estado, y me habían convidado mate con peperina. Bowling en un momento me hizo señas, más que claras, para que cortara la visita y fuésemos a dar ese paseo estilo shopping que le había prometido. Pero Nidia había salido supuestamente a buscarme algo, y parecía descortés no esperarla. Priscila aprovechó mi cautiverio y me olió el pelo a sus anchas. No se qué esperaba encontrar, pero concluyó: “ vos lo que necesitás es agua bendita”. Acto seguido me alcanzó dos bidones, para que al llegar a mi casa cambiara por esta nueva agua pura, el agua corriente que tenían mis placentas cazamoscas. Información, esta última, que aún hoy no me imagino cómo obtuvo. "Vas a ver la diferencia", insistió. Yo creí que Priscila sospechaba que yo no era creyente, y viendo que en donde vivían no había ninguna imagen ni altar, supuse que ellas tampoco lo eran. Igual se lo pregunté, y al hacerlo, respondió:

—¡Nene!... ¡¿cómo voy a creer en los curas?! Creo en el agua. Tenés que aprender a ser más concreto.

No entendí la receta, sino hasta que finalmente asomó Nidia detrás de la cortina de cretona. Traía en brazos a un bebé minúsculo que parecía recién nacido. La verdad, es que yo nunca había visto uno y necesitaba que me lo confirmaran. " ¡Recién, recién!", aclararon las hermanas, "¿no te das cuenta, nene, cómo nada?" Me lo acercaron, y vi como efectivamente manoteaba el vacío. "Nada en la nada", pensé. Estaba tan recién nacido, que estaba terminando de nacer. Sus ojos se abrían con enojo y tenían una luz opaca como la que tenía Mariela cuando comenzó a migrar a ese lugar intermedio del morir, donde la mirada queda prestada al instante siguiente del que ya no pertenece.

Me agarró una angustia terrible y, mientras todos esperaban un amoroso comportamiento de asombro ante la vida, rompí en sollozos recordando a Mariela. "Hijo, que vas a asustar al bebé, si sabía no te lo traía", dijo Nidia llevándoselo al instante, con la frustración de alguien que se da cuenta de que eligió una mala sorpresa.

Creo que desde mi nacimiento yo no había vuelto a llorar, y hacerlo ahora frente a Bowling era para mí un papelón muy grande. Supongo que a él tampoco le gustó mi mariconada, porque agarró su cable eléctrico y se fue malhumoradamente a la calle.

Si algo bueno había en esa situación, era que saltaba a la vista de que las hermanas hormiga eran unas parteras muy experimentadas en enfermería. No demoraron más que un segundo en darse cuenta de que yo estaba pálido, que ya estaban tomándome la presión y diciéndome:

—La tenés bastante baja, nene... ¿Seguro que te podés quedar solo? Esperate, cosemos a la doña y volvemos.

En realidad creo que hubiera podido levantarme e irme, pero me tentó muchísimo estar solo en esa pieza y fisgonear los rincones. ¿Dónde dejarían sus bolsas movedizas? ¿Las vivas, las que sólo podrían ser para ellas? ¿Será que aprovechando que no me veían, podría abrir una y fijarme qué había adentro?

—¡Mala idea! —dijo Bowling, al regresar y sorprenderme queriendo levantar la tapa de un baúl de paja.

—No, es que yo...

—¡Yo, las pelotas! —interrumpió Bowling, mostrándome su cable, tan enojado como el primer día.

Dándome cuenta de que no siempre era yo el hermano mayor de esa relación, quise aclarar:

—Mirá, Bowling, no iba a hacer nada malo.

—¿Ah, no? ¿Y qué estabas buscando entonces?

Hice un silencio... y después, como si fuese un gran truco, en vez de contestar pregunté:

—¿Por qué se mueven las bolsas, Bowling? ¿Por qué me mostraron ese bebé?

—Sos de terror, mejor vamos a lo de la campera.

—Explicame.

—Si querés te explico y te muestro —dijo Bowling, abriendo con poca paciencia el baúl. —Son mis cosas —aclaró luego, por si no me había dado cuenta de que estábamos al pie de la colchoneta donde dormía.

El baúl tenía todo patas para arriba. Bowling dijo que estaba fijándose si tenía todavía unos mapas que podían llegar a servirme para que yo "cace alguna". En medio de la búsqueda apareció la foto de su mamá Carlos, y me la pasó como si fuera un par de calcetines. Carlos había sido una mujer agradable de rasgos finos, y nada tenía del estereotipo travesti que yo me había imaginado. "¡Aquí están!", dijo Bowling mostrándome los mapas que por fin había encontrado, y con mucho recelo empezó a detallarlos:

—Este es uno reantiguo. Es de los europeos. Así es como los bolas esos se imaginaban que era la cosa. ¿Ves?

Yo creí que se refería al punto de vista geocéntrico con que estaba planteado el universo, y ya me veía venir la comparación con mi egoísmo, cuando agregó:

—Son todas colecciones. Conjuntos de cosas. Eran coleccionistas los guachos. Todos los tigres por acá, los negritos por allá. Todo ordenado. Todo clasificado...

Obvio, hasta ahora ya iban cuatro cachetadas para mí, no obstante siguió:

—Mirá qué distinto es este mapa que se habían mandado los chinos. ¿Ves?, las cosas no están separadas. Son todas uniones. Todas uniones de puntos.

El mapa parecía un trozo de universo orgánico puesto bajo un microscopio. Miles de células terrosas se tocaban entre el cielo y el agua. Era realmente impactante, pero nada tenía ver con mi pregunta sobre las bolsas de basura que se mueven. Parecía una asociación muy distante, hasta que recordé, no sé cómo, el polígrafo goemétrico de Olga. Puntos, vértices...

constelaciones, tejidos, urdimbres, zurcidos... "Cosemos a la doña y volvemos".

¿Sería que además de baja presión, tenía fiebre? Bowling llevaba como cinco minutos hablando. Estaba inspirado, radiante... pero yo sólo pude escucharle su última frase:

—Bueno, ahora que te expliqué, ¿podemos ir a buscar la ropa?

Yo sonreí y asentí, no sin antes consultar:

—Oíme, Bowling, ustedes de casualidad, ¿no conocen una vieja con la espalda muy torcida, que también parece que saca cosas de la basura, y le dicen señora Stein?

Bowling miró instantánemente la cortina de cretona que servía de puerta a la concurrida sala de partos de Nidia y Priscila. "¡Ni idea!", contestó, y nos pusimos en marcha.

Expedición

Al salir a la calle, pensé que Bowling quería despedirse de sus amigos, pero a nadie en realidad le importaba si se iba. Descubrí que Bowling era el chico al que los otros obedecían, pero no con el que alguien quisiese estar. Él era demasiado extraño. Creo que yo podía entender esa situación. ¿Trataría Bowling de sentirse normal, como yo lo hacía? ¿Le servirían, como a mí, las migas de pan? ¿Sabría quién era su padre? ¿Lo habría puesto lejos, lejísimo, como yo puse al mío? Pregunté, por supuesto, cualquier otra verdura:

—Ché, Bowling... ¿Estás seguro de querer venir? Yo te puedo conseguir la ropa sin necesidad de que me acompañes. Mirá que mi vieja es un espanto.

—No, si igual es domingo, no tengo nada que hacer.

—¿Cómo domingo, no es miércoles 20 de julio?

—No, hoy es domingo. ¿No ves que jugué a la pelota?

—¿Pero cómo va a ser domingo, si ayer fue martes y murió una señora amiga que se llamaba Rita?

—Y... se pudo haber muerto, pero hoy es hoy. ¿No será que entre ayer y hoy, hubo un montón de otros días y no te acordás?

—¿En serio me lo decís?

—Y sí... la gente se olvida de muchas cosas. Por ejemplo, ya caminamos seis cuadras, ¿no te acordás dónde dejaste el auto? Mirá que estos bichos pesan.

Bowling se refería a los bidones de agua bendita que veníamos arrastrando por turnos democráticos, tal como su orgullo lo pidiese. Se los saqué de las manos y le di la noticia:

—¿No te contaron Nidia y Priscila? El auto se lo llevó un amigo.

—¡Uy!, cierto que me dijeron... ¡Flor de amigo tenés! ¿Es el que se te lleva todo, como si te hiciera un favor?

—El mismo.

—¿Y vos por qué no tenés mejores amigos?¿ Qué pasó con los que tenías?

—No sé. Creo que al principio los perdí porque me fue muy bien, y a otros los perdí después porque me fue muy mal. No me preguntes... ¿sí?

Bowling dijo que sí, muy bajito, y con un tono muy solidario que yo no me merecía. La gorra de lana se le había corrido, y podía entonces vérsele toda esa cantidad de venas desnudas que le cruzaban el cráneo. Eran muy abultadas y parecían agitarse con vida propia. Por suerte dejamos de caminar y tomamos el metro. Bowling, sin duda, conocía mejor que yo las zonas subterráneas, y el solo hecho de sentirse en su salsa lo reanimó frente a las miradas extrañadas que nos seguían con censura. No hacíamos una dupla muy común. Para colmo, una vez que subimos al subte y nos sentamos, para que los bidones no molestasen a los demás, plegamos las piernas y los pusimos debajo de los pies. A Bowling las rodillas le llegaban a la boca, y a mí mucho más arriba de las orejas. Toda la situación era incómoda.

No tenía en absoluto ganas de ir a ver a mi vieja, pero confiaba en que junto con las camperas apareciesen algunos billetes olvidados en los bolsillos. Era eso, o ir al banco y explicar que los sobres que ellos me habían mandado los había quemado sin abrir. Que los había hecho humo sin saber que allí estaban los cheques que el banco me devolvía por haberlos endosado incorrectamente con otra fecha. (Seguramente un Martes). Claro que si iba al banco, me iban a decir que en realidad tendría que ir a cada cliente que me dio un cheque, y explicar que nunca había logrado depositarlos, y que me hicieran uno nuevo, aunque no les estuviese devolviendo los viejos, y aunque ya no fuese un proveedor vigente, y estuviese para colmo sospechado de falsificación de datos. ¡Fatal! En medio de la cantaleta mental, se me ocurrió preguntarle a Bowling:

—Para vos, ¿en qué estaría bien que trabaje un lingüista?

—Soy muy chico para saber.

Bowling contestó haciéndome notar la vieja muletilla, y se dio vuelta para mirar en qué estación estábamos. Después de un rato de gran sopor, en que nada parecía apartarlo de la ventanilla, dijo:

—¿Te fijaste que a algunos carteles se les piantaron las letras? Ves, podés trabajar en eso: en averiguar por qué se borran las palabras.

—Es lo que estoy haciendo —contesté a la defensiva.

En ese momento, cansado de tener calambres en las piernas, Bowling decidió que había la suficiente menos gente en el vagón, como para enderezarse. Se sentó bien, y mirando el rostro de aquellos pocos que aún viajaban con nosotros, dijo:

—¿Ves?... a ellos también se les borra la cara.

—¿Qué decís?

—Que a mí se me cae el pelo, a ellos la nariz, a las estaciones las letras...

—¿Me estás jodiendo?

—Sí, es una joda, no te enojés.

En la siguiente parada el subte no frenó. La estación estaba en blanco, y al mirar al vendedor de ballenitas que venía del otro vagón, noté que era albino. Yo estaba nervioso y Bowling preguntó:

—Che, Pablo, ¿falta mucho para bajarse?, ¿me puedo echar un sueñito?

Quizás yo ya estaba soñando. Quizás el último párrafo ya no era mío…

Sueño 5. Serie B.

Bardo busca mi cara en el sueño, cree que estoy escondido detrás de una cámara. Va y vuelve, hasta que finalmente se para frente a lo que él supone es una lente, y saca su lengua diciendo: "¡no están!"

Es una lengua larga y alquitranada. Tan larga que se ha enrollado sobre las amígdalas y se las ha tragado. "¡No están!", repite Bardo, teniendo así la idea de transformarse en un vendedor de agujeros.

"Nada puede asegurármelo", dice, "pero un vendedor de agujeros en un mundo cerrado, es una buena profesión. En definitiva nada parece existir salvo los agujeros. Tendríamos tú y yo una valija. Una valija con una buena colección de agujeros para vender. Siempre es útil un agujero: agujero ojo, agujero oído..." "¡Agujero hijo!", agrego yo, y me despierto con la sensación de haberlo perdido todo.

—¡¿Se la viste?! —preguntó Bowling.

—¿Qué cosa?

—A la lengua negra.

Me encantó que Bowling escuchara tan escatológicamente mi sueño. De pronto Bardo había adquirido una cualidad de dios mítico escapado del interior de una bragueta. ¿Por qué no lo había pensado antes? Seguíamos viajando, y cada vez había menos gente alrededor de nosotros. En un momento Bowling, o el petiso, como ya había empezado a llamarlo, dijo:

—¿Esos son los sueños que escribís? Vos no podés soñar así. Es todo bla bla, no pasa nada. ¿No será que en vez de escribir lo que soñás, soñás lo que escribís?

Justo antes de que el vagón se diera vuelta en la terminal, me di cuenta de que teníamos que bajar. Menos mal. No me hubiese gustado hacer todo el viaje de nuevo. ¿Soñaría Bowling?

—Yo sí. ¡Qué va! Un montón...

—¿Y no los escribís?

—No quiero... No sé cómo se dice, pero el tema es que si les meto cosas se me van.

—Pero decime algo, Bowling, contame un cachito: ¿cómo son?

Bowling puso cara de estar hinchado las pelotas y enfiló con el bidón hacia las escaleras mecánicas. Ante mi insistencia, zafó diciendo:

—Son como figuritas.

—¿Figuritas?

—Sí, como un álbum de figuritas que tengo que completar. No te rías que es jodido. A veces creo que estoy llenando una página, y se pira alguna, y se despega.

Bowling agregó que en ocasiones soñaba que las figuritas hablaban entre sí, pero sin palabras, sólo con señas; y que a veces las muecas no correspondían a lo que él se daba cuenta que estaban pensando. Dijo: "eso es lo que peor me hace. Me hace mal que no coincidan los gestos".

Bowling tenía los ojos rojos, y yo lo estaba explotando. Explotaba su pobreza y su edad. Le tenía envidia. Envidiaba que él pudiese ser un habitante natural de su vida. Yo en cambio siempre sería un extranjero de mi verdad. No era un sentimiento muy digno, pero era el que tenía. Para colmo al final de la escalera mecánica apareció una pordiosera. En general creía poseer un gran tolerancia con mendigos y locos, pero un pordiosero, alguien que pide "por dios", me exasperaba. Sentí entonces al verla, que tenía que pegarle como si fuera mi última oportunidad de golpear a dios, y tuviera que hacerlo rápida y decididamente, golpear a dios ahí justo en las manos abiertas, donde le doliese, en las manos, sí, señor, donde la gente deja una moneda...

—¡Pará de pegarle, Pablo, que vamos en cana! ¡¿Qué te picó?!

Bowling me gritó histérico. Dijo que Nidia y Priscila finalmente tenían razón, cuando le pidieron que tuviese cuidado conmigo. Que yo parecía un santo, pero estaba lleno de violencia sin salir, y que si me seguía acompañando, era sólo porque también le dijeron que me tuviese paciencia, porque estaba muy solo. "A mí me parece que te falta una mina", concluyó.

Le pedí disculpas a la pordiosera, lamentando no poder dejarle nada que me hiciese sentir mejor conmigo. Luego levanté el bidón, que se me había caído al piso, y nos pusimos otra vez en marcha. Bowling tenía la teoría de que me hacía falta un buen encame, y a pocos pasos de la casa de mi vieja, le empecé a contar lo que me había pasado con la zurcidora.

—¡Qué menso que sos! —dijo—. ¿Cómo no le preguntaste el nombre? ¿No tenés el teléfono? ¡Hasta yo sé hacer eso!

—Pero quedamos en que iba a volver. Tengo una excusa, tan mal no estuve.

Al llegar al edificio de mi madre, le pedí al petiso que esperara porque era domingo y el portero no estaba para abrir. Recuerdo que traté de cerciorarme nuevamente sobre la fecha y dije: "¿Hoy es domingo, no?" Bowling estaba impresionado con la recepción de mármol y se la pasó haciendo comparaciones con mi departamento actual. Me preguntaba qué cómo se me había ocurrido irme de un palacete como ése, y toda esa cháchara. De repente, mientras subíamos por el ascensor, descubrí sobre el espejo biselado, el típico cartel de la portería: Martes, desinfección general. "Martes", pensé, "el día más tóxico de la semana. ¿Por qué volviendo a esta casa un domingo, vuelve a ser martes?"

—Che, ¿cómo era que vivías en un sitio así? Tu viejo era médico y ¿qué más?

Mutis. Salimos del ascensor y abrí la puerta del 4º "D". La casa estaba en silencio, y yo más. Había aprendido que me preguntasen por mi padre y no sangrar. Coagulaba al instante: el tono, la intención, la puntuación de la pregunta. Bowling debió conformarse con una confesión doméstica e insólita para mi naturaleza: "¡Tengo hambre! Vení que buscamos algo en la heladera". Para ello, claro, teníamos que atravesar todo el living, y lo obligué a usar esos estúpidos patines de fieltro que mi madre ponía para no marcar el piso, que según ella, siempre estaba recién encerado. Bowling, ni siquiera había visto un patín de tela en su vida. No sabía para qué eran, ni cómo se caminaba con ellos. Yo en cambio parecía un finalista de las olimpíadas. Fue así que, a la mitad del trayecto entre el sofá y la cocina, la vimos... Sí, ahí estaba, mi madre, recostada en el sillón en medio de la penumbra, y con la cara tapada con un pañuelo de gasa, como si su cabeza se hubiese transformado en un velador más de la sala.

—¿Está muerta? —preguntó Bowling.

—No, está dormida. Los domingos duerme la siesta. Vení, dejala...

En la cocina nos hicimos un sandwich. Comimos, pero, no sé por qué, no hablamos nada. Las persianas americanas, la pieza impecable de la muchacha, el televisor portátil sobre la mesa de planchar... todo parecía flotar de una larga anestesia. Bowling tenía cara de culo, porque el silencio que bufaba el pulmón de manzana le molestaba. Nunca había estado en un lugar donde no se escucharan los vecinos, ni los colectivos. Le serví Coca. Es impresionante lo que hace una gaseosa cuando un chico está obsesionado por tener vacíos los oídos. Por un segundo hipnótico, pareciera que las burbujas te hablan. "Gajo del oficio", pensé, y dejé a Bowling con el televisor muy bajito, mientras fui a mi antigua pieza a buscar la ropa.

Al pasar por el pasillo, en medio de la puerta, gran cartel, gran: "AVECES LAS PALABRAS SE EQUIVOCAN Y BUSCAN ARREPENTIRSE." ¿Qué tendría cuando lo escribí?... ¿Catorce, doce?... ¿La edad de Bowling? ¡Horror!, no quería recordar mi infancia. Decidí abrir las puertas altas de los placares, y fijarme si ahí estarían las camperas. Revisar eso, y los bolsillos donde pudiera haber guita. Sí, ¡rápido!... En lo posible sin mirar papeles. Ni papeles ni recuerdos. Pero... al poner la mano entre las perchas, el tacto baboso y peludo de un tapado de astracán me hizo comprender que mi madre había invadido mi antigua pieza. Recién entonces olí la espesa nube de naftalina que escapaba del ropero. ¡Qué asco! Retiré la mano de esa superficie sorpresivamente púbica... y me fui huyendo con una cazadora de corderoy más o menos de la talla de Bowling. La campera, y un retrato de Mariela que yo sabía que todavía podía estar debajo del vidrio del escritorio. Quería que Bowling la viera. Que supiera que Mariela había sido linda, y que había tenido ojos verdes. Tan verdes como las lágrimas estancadas de las estatuas... ¡Mierda! Ni aun con esa foto podía recordarla en otro lugar que no fuese contra la pared del cementerio.

—¡No es tu mamá! —dijo muy serio Bowling, salpicando el aire con las últimas migas de su sandwich.

Bowling se había ido al living para espiar a mi madre. Ahí dio su diagnóstico:

—Te digo que esta señora no es tu vieja. Cien por ciento, te pongo la firma. Mirá que de madre sé por seis. El tipo ese de uniforme, sí puede ser tu viejo, pero la de acá tu vieja no es.

Bowling había levantado con cuidado una esquina del velo que tapaba la cara dormida de mi madre. Como temía que el soplido pesado de la respiración lo bajase nuevamente, se las había ingeniado para sujetarlo al respaldo del sillón, con unos alfileres que había encontrado por ahí. Así pudo comparar el nacimiento del pelo, las cejas, las orejas... Me miraba a mí, luego a mi vieja roncando, y a la foto enmarcada en la que entre muchas otras de la pared, él había descubierto que era mi padre.

—Parece que estuviese embalsamada —dijo. Y sacando los alfileres, la volvió a cubrir con la gasa, con la misma cretina superioridad con la que un taxidermista trata a sus mariposas secas.

¿Qué esperaba Bowling que yo dijera? Me indignaba que me azuzara para que reaccionase. No le di el gusto. Silencio otra vez. Cerrar la puerta otra vez. Tomar el ascensor otra vez. Arrastrar por la calle los bidones de agua bendita otra vez. Otra vez la basura acumulada en las esquinas. "Domingo, la basura se pone rancia los domingos."

NOTA: debo recordar no escribir con angustia, y menos escribir en capicúa como si me lo estuviese dictando mi madre. Debo ser más puntual, y contar sólo lo estricto. Pasar al momento en que Bowling me dejó con los bidones en mi casa, se llevó chocho la campera, y se fue a la autopista con Nidia y Priscila, prometiendo que hablaríamos de la foto de Mariela . "¡Eso…!, ¡hablemos de minas!", dijo antes de irse. Y me dio un beso perdonándome todas las brutalidades del día.

HABLA DESPUES DEL BEEP:

—Pablo, soy Juan. Tirá eso de una vez . Me preguntaron si lo tenías. Yo les dije que no, pero tu vieja que sí. Ojo, tenemos que hablar.

Volvió Juan y se llevó la videoteca, los compact y los libros. En un momento pensé: "hace bien, por ahí yo no me doy cuenta y el olor a formol que fueron juntando es irrespirable". Juan también quiso bañarme pero no lo dejé. Yo sabía que bañarme me bañaba bien y que en todo había un límite. Dijo que lo de training en la orga para la niñez tenía un techo muy chico, y que lo contrataron de Brand Manager en una marca líder de gaseosas, pero que no me decía cuál para que no fuese mala suerte.

—Juan... ¿por qué venís? —pregunté agotado.

—¿Por qué?... Qué sé yo. Quería estar seguro de que no estuvieses en nada raro. Tu vieja me lo pidió. Tiene miedo. ¿Tiraste lo que te dije?

—¿Qué me dijiste?

—Yo le aclaré a tu vieja que ya no andás en eso de ir recogiendo basura, pero igual lo que la tiene mal son las llamadas.

—¿Les dijiste que antes te interesaban los clásicos?

—¿A quiénes?

—A los de tu marca de gaseosa.

—¿Por qué cambiás de tema?... Sí, les dije. Hasta les gustó la idea de tener un lingüista. No entendían mucho mis cambios, pero enlaté bien todo. Hablé de las inquietudes de los jóvenes, puse un poco de gas, y... Oíme, si querés plata... No, en serio, te puedo prestar unos mangos.

—¿Sabés Juan, que fui a la zurcidora?

Me puse a explicarle lo inquietante que era para mí esa mujer con vestido de seda. Hasta le conté que esa mina increíble había finalmente aceptado acercarme a Olga. Hoy lo recuerdo y no sé cómo pude confiarle algo así. Quizás porque Juan no parecía escucharme, sólo iba y venía de la heladera al aparador, abriendo y cerrando los grifos con ganas de patear toda la cocina. Finalmente dijo:

—¡¿No tenés nada para beber?! ¡¿ Ni una desgraciada gota de agua que no sea clorada?!

Cuando vio que le señalaba en el techo las bolsas cazamoscas, me paró en seco:

—¿Vos estás bebiendo esa agua podrida?

—No es podrida, es bendita —dije sirviéndome un poco.

Acto seguido, tuve que aclarar que quienes me hicieron cambiar el agua, fueron las hermanas hormiga, porque para ellas sólo el agua bendecida podía lograr que la mosca se vaya junto con su zumbido. Continué:

—Es como la memoria, Juan, vos...

—No me expliqués. Entendí. El que no entiende que no se puede juntar con esa gente, sos vos.

—¿Qué gente, Juan?

—Mirá, Pablo, para que lo tengas claro... Tu vieja me paga para venir todas los semanas y echar un vistazo, pero esto ya no me gusta. ¡Tirá eso! ¿sí...? Quemalo si querés en tu famoso crematorio, pero hacelo ¡ya! Ah, y lo de la dulce esa, la ondulante, no creas que no lo escuché. Si te ayuda a distraerte la cabeza, por mí está bien, pero a los de "la autopista", no les digás nada. Nada de nada.

Luego Juan se desanudó la corbata, pidió ayuda al portero, y se llevó las pocas cosas que quedaban. Incluso los almohadones y los tres cuadros. No pude pararlo. Estaba idiota. Pensaba que quería que me devolviese la computadora pero no pensé en la olla y el colchón. Se fue y por unos cuantos minutos quedé atrapado por la contemplación desértica de mi apartamento. ¿Qué buscaba Juan en el dobladillo de la cortina? ¿Por qué no le di una piña? ¿Por qué no me importaba que se hubiese llevado casi todo? ¿Por qué no lo paré en seco? ¿Por qué mi madre le pagaba? ¿Por qué mi madre ya no era mi madre, mi amigo ya no era mi amigo, pero mi padre seguía siendo mi padre?

Me descalcé, y lentamente, me puse a caminar por toda la casa con el vaso de agua bendita en la mano. Fui tomándolo muy despacio, mientras prendía las luces de la sala y una a una las bolsas cazamoscas se iban encendiendo. Las persianas estaban cerradas y yo no sabía muy bien qué hora del día era, pero esas bolsas transparentes que colgaban llenas de agua y luz, se veían reconfortantes. Pensé que mi departamento era el único en el mundo que tendría ubres y placentas en el techo, y me recosté sobre el piso, queriendo cicatrizar con mi cuerpo, los pedazos de parquet que Juan había desgarrado al despegar la alfombra. Sonreí. Finalmente tenía un vaso, creo que también sábanas... y los zapatos y los documentos rescatados de la basura que yo había querido conservar, y que habían quedado a salvo archivados adentro del lavarropas. ¿Por qué Juan no se llevó el lavarropas? Es curioso lo que la gente no ve. Me quedé dormido.

Sueño 6. Serie B.

Bardo resucita antes de morir. Endereza su espalda con dificultad, como si viniese de dormir de un cementerio de automóviles, y sabe que estará solo, ya que recuerda que dios no ha despertado con él.

¿Es eso el poder? ¿Un animal buscando urgente desovar? Nada, ni siquiera el cielo, quiere poner sus manos sobre una bestia así. ¡Detente, padre!

Medidas de seguridad

De todos los sueños, éste había sido el más real. Me dolían todos los huesos de la columna, y tenía la sensación de estar recién desenterrado. Quise abrir las persianas y ver la luz del sol. No quería que fuese de noche. ¿Por qué siempre pondría a mi padre en el futuro? El sueño me había dejado con la sensación de que no podía perder tiempo.Recordaba además que le había prometido a Bowling hablar de minas, y tenía que tener letra para ese momento. ¡Rápido! Me bañé, me afeité, me cambié... y fui a buscar los zapatos dentro del lavarropas. ¿Llevaría todos?, ¿o sólo un par para probar? Sus supuestos "huecos de información" me daban la excusa de volver a ver a la zurcidora. Quizás era mejor reservar algunos. Decidí que llevaría únicamente la bota amarilla para la lluvia, y el mocasín quemado. La bota recuerdo haberla encontrado sobre la vía del tren en Bernal, en cambio el mocasín estaba en el interior del tronco de un pino al que le habían prendido fuego. Pensé en ellos como parte de la metamorfosis de alguien que ya no estaba, y al hacerlo, quizás por reflejo, sentí los puntos martirizantes de mi cuerpo.

Cuando saqué por fin lo que me interesaba, noté que uno de los documentos se había caído al piso. Era el diario de un psicoanalista desesperado. No recordaba por qué lo había salvado, y lo hojeé a la ligera reapareciendo el pedido de ayuda de sus páginas. ¿Debería llevarlo también? De repente me volví a sentir responsable de lo que había decidido no tirar, y lo puse en la mochila. Quería asegurarme de no perderlo. ¿Estaría Juan buscando esto? ¿Papeles, zapatos? "Cuidado, te los van a robar", había dicho el hombre árbol que barría la plaza. Eché una mirada al depto. Él estaba vacío, pero yo estaba lleno. Más allá de esa primaria sensación de euforia, noté que había mucha cosas rotas sobre el piso. Las lamparitas, el jarro del café... cosas que antes de dormirme yo no había visto. Incluso hasta la bañadera parecía haber sido golpeada. ¿Quién culparía a una bañadera de algo? Fumé un pucho y enfilé para irme. La ventana había ya criado algunas luces en los rincones, e intenté llevarlas como pequeñas muestras vivientes de lo que todavía tenía. ¿Qué más? Nada más, salvo la nota del correo que en algún momento habían dejado por debajo de la puerta: "Retiro de encomienda certificada. Presentarse con documentos, dentro de las doce horas, en Casa Central."

El aviso no tenía remitente y no sabía por dónde empezar. Miré la hora de la entrega, me convenía no arriesgarme e ir directo para allá. Tantas veces me pregunté quién me habría mandado algo, que al bajar del colectivo tenía la cabeza hecha un buzón. Una vez dentro del edificio del correo, estalló un sonido gomoso. Noté que todas las caras buscaban otra caras y que alguien había encontrado la mía...

—¡El siguiente! —dijo el hombre.

Apenas me acerqué, el pequeño hombre de la ventanilla me arrebató autoritariamente el papel del aviso, diciéndome:

—¡Traé eso para acá! ¿Tenés documentos?

Recuerdo que fue una palabra dificilísima de entender, porque para mí, "documentos" era la basura que yo llevaba en la mochila, y no la cédula de identidad.

—Si no trajiste documentos, no te puedo atender.

El hombre insistió llevando su mirada de ratón hacia cada uno de mis ojos. Cuando me di cuenta que lo que esperaba que le ponga arriba de su mano no era precisamente uno de los zapatos rotosos de mi colección, saqué mi cédula del bolsillo. La foto estaba un poco desteñida porque más de una vez posiblemente se me haya escapado a lavar con pantalón y todo; pero sirvió a los efectos de que el tipito dejase de jugar al tenis con mis ojos, y me entregase el paquete.

Remitente: Rita Cantoni. ¡Oh dios, oh, oh, oh dios! Pensé que si me seguían pasando estas cosas iba a terminar siendo creyente. Puse el paquete en la mochila y me fui a la zurcidora con todo.

Extraña militancia

Dijo ella:

—Hoy no le voy a poder adelantar nada de la bota de lluvia, pero de la historia del mocasín, quizás sí.

—Me llamo Pablo, ¿y vos? Creo que nos podemos tutear, ¿no?

El por qué lo supe después… La zurcidora había puesto el mocasín a remojar en agua, y lejos de aceptar mi apresurado acercamiento, enfatizó el carácter profesional de nuestra relación con un: "si quiere puede esperar en la sala". A lo que competitivamente contesté: "aún no quedamos cuánto debo pagarle por sus servicios". Yo no tenía un mango partido en dos, y la maniobra fue jugada. Sintiéndome aliviado de que finalmente ella dijese: "lo tengo que pensar", obedecí y me senté en ese pequeño recibidor, que continuando con la broma del cartel de la calle, parecía una perfecta escenografía de un taller de costura. Bobinas de hilos de todos los colores, husos grandes, agujas de madera, y hasta un telar viejísimo. Nada tenía que ver con la trastienda de rosas, note books, y discos rígidos a la que esa vez no tuve acceso.

—Puede ser que haya que esperar media hora o dos —dijo ella secándose las manos.

—No sé qué hora es.

—Son las doce. ¿Quiere ir a almorzar y volver?

Saber que eran las doce fue una gran sorpresa. Realmente estaba aprovechando el día. Tenía pendiente ir a la autopista, hablar con Bowling, acompañar a las hermanas hormiga a su recolección de basura, y quizás, sólo quizás, aprender de ellas a distinguir las bolsas que se movían. Pero todos los cálculos de tiempo fueron ilusorios, cuando recordé que llevaba en la mochila el paquete de Rita. La zurcidora estaba esperando que le respondiese si me iba, así que me apresuré a decirle:

—Tengo que revisar primero esta encomienda.

—¿Son libros?

—No... Creo que son disquettes. Si son disquettes, no tengo cómo abrirlos, se llevaron mi PC y…

—Entonces sígame a la cocina.

Ella tenía puesto un vestido de seda tan envolvente como el del otro día, y caminar detrás de su cadera, sin tocarla, nuevamente fue una tortura. Al principio "cocina" sonó a metáfora, pero ciertamente me llevó junto a una humeante olla de sopa, y a una mesa precaria que pronto preparó para dos, diciendo:

—Yo primero iba a comer, si quiere...

Parecía estar signado a que me invitasen sopa. "Debo dar una imagen muy infantil", pensé, mientras me llevaba a la boca la primera cucharada. Que Nidia y Priscila me perdonen, pero esa sopa era fascinante. Quizás menos original que la improvisada sopa-pizza de las hormiga, pero en compensación estaba llena de sabores individualizados que por momentos se mezclaban en la boca como una acuarela de campo.

Ella se sonrió. Mostró su piel blanca, sus ojos y su pelo castaño, y dos pequeñas arrugas junto a la comisura de los labios, que le daban a todo su rostro la luminosidad imprecisa que tienen los orgasmos. Al segundo, dijo:

—La PC para revisar su material está ahí, junto a la panera. Justo tiene una disquettera de las antigüas. Aquí nadie lo va a molestar.

¿Por qué tenía que estar junto al pan? Llegó un momento que todo parecía estar preparado. Una especie de trampa de símbolos: el agua, el pan... Indagué:

—A la señora Olga Stein, ¿no la vio?

—Sí, pero no se llama Olga, ni tampoco recuerda conocerte.

¿De repente me hablaba de vos? Dejé de tomar la sopa comprendiendo que, si estaba envenenada, ya era tarde. Después la zurcidora empezó a reírse con esa misma risa marciana de Bowling y agregó:

—Mirá, nene, para hacer de galán sos tan malo que no servís. Te falta suspenso. ¿Quién sos? Fue un error hacerte pasar el otro día a mi sala de trabajo. ¿De dónde sacaste la referencia de la señora Stein?

Muy gratuito todo. Lo de nene no hacía falta. Con tratarme de obvio ya era suficiente. Decidí no tutearla. Elogiar su experiencia, hablar del respeto que me merecían los años que nos separaban y toda trillada redacción que me sirviera para que, sin sutilezas, hacerla sentir mal... Pero en el momento que iba a empezar con un "mire señora", un inesperado arpegio de Bach cimbronó la cocina.

—Perdoná, es la alarma —dijo ella.

Se levantó de la mesa y me dejó solo. ¿Momento para huir? Bach seguía aturdiéndome y simultáneamente dándome tiempo. Al final abrí el paquete. Efectivamente tenía esas "cositas negras todas iguales", a las que se refería Rita para hablar de un disquette. Junto a ellos, había también una nota manuscrita: " Pablito, te mando lo que me pediste por correo, porque me parece que me escuchan cuando hablo por teléfono. ¿Vos le dijiste a alguien que te iba a ayudar? ¡No me busques más!, te pido por favor. Están pasando cosas raras. Perdoná pero tengo miedo. Cuidate vos también. Siempre fuiste el más bueno de todos acá. Ojalá encuentres lo que estás buscando. Cariños. Rita. Martes 19 de julio".

Martes 19 de julio fue el día que Rita tuvo el accidente. No pude dejar de pensar que, el tono de presentimiento y el contenido testamentario de esa nota podían probar que a Rita la habían matado.

Cuando la zurcidora regresó, ella también estaba convulsionada. Había desconectado la alarma y volvía con la noticia:

—El mocasín que trajiste se puede recuperar.

Parece ser que lo había dejado remojando en agua no porque estuviese sucio, como yo había supuesto, sino para que fuera el agua la que recuperara su memoria. La alarma detectaba cualquier variedad en la sensibilidad de las moléculas de hidrógeno, y accionaba el disco de Bach cuando ya había cumplido el circuito para transformarse en agua escrita.

Nada era demasiado loco ese día. La zurcidora me había dado una explicación sobre el agua escrita, que normalmente me hubiese llevado horas entender, pero en ese momento mi tolerancia y mi capacidad de absorción del absurdo no tenían límite. Era mi corazón, sin embargo, el que parecía quejarse de esa cesárea no programada, en la que cualquiera podía ponerme la mano adentro del pecho y llevarse un ternero rojo, cuando se le ocurriese.

—¿Dónde lo encontraste Pablo? ¿Cómo supiste que era algo más que un mocasín? —increpó la zurcidora.

Doblé la carta de Rita en muchos pliegues, hasta estar seguro de que podía entrar en el bolsillo de las monedas de mi pantalón. La zurcidora estaba pálida y desconcertada. No me importaba mucho lo que me estaba diciendo de ese zapato. Era cierto que por alguna razón lo había recogido, y que por alguna razón lo había conservado. También era cierto que por alguna razón creí que tenía algo para decir que yo no entendía, pero en ese momento lo único que me importaba era quedarme a solas revisando los disquettes que me había conseguido Rita. Opté por declarar:

—Mirá, yo no me siento bien... Quisiera ver lo que me mandaron.

Noté que ella no entendía para qué entonces había yo ido, y traté de relacionar el envío de Rita con la señora Stein. Le dije que Olga, o cómo se llamara, no sabía que yo la había conocido hace más de dos años en un concurso de lingüistas. Le expliqué que ella había hecho un dibujo muy extraño para solucionar un acertijo de Homero, y que por eso la estaba buscando, pero que daba la casualidad que ese dibujo podía estar en uno de esos disquettes que yo estaba justo queriendo abrir, y que por favor me ayudara porque no tenía otro lugar para verlos, ya que se habían llevado todo de mi casa. La zurcidora estaba realmente mucho más descolocada de como yo la había percibido. Era como si le importara un pomo lo que estaba diciendo, y volviendo a la carga sobre el mocasín "rescatado", dijo:

—¡Pablo, si no me decís de dónde sacaste el zapato, no te puedo ayudar!

—¡De la basura, mujer! ¡De la basura que había adentro del tronco de un árbol quemado!

—¿Vos también revolvés la basura?

¿Qué debía contestar en ese momento? ¿Que si yo también lo hacía era una casualidad pero yo no sabía nada? ¿Cómo podría creer ella semejantes coincidencias? ¿Cómo podría creer yo, que ella pudiese leer la historia de un zapato en el agua? ¿Pero, qué era esa mina? ¿Una epistemóloga homeopática? No sé para qué me gasté con tanto cuestionamiento. Ella nunca esperó una respuesta. La había dado por sentada como si tuviese mucho más oficio que yo en asumir que la vida viene así, tramada de casualidades a lo bestia. Simplemente siguió:

—¿Y hasta dónde llegaste Pablo?

—Llegué hasta hoy, hasta acá... Hasta que matasen, creo, a alguien por mi culpa.

—Pablo, si es posible que te siguieran yo no quiero que estés acá. Cuando averigüé que la señora Stein no te había mandado, pensé que eras un chico caradura que me quería levantar, no que tenías algo de verdad. Tengo que proteger a la señora Stein. ¿Entendés? Si querés le digo que la buscás y de dónde decís vos que la conocés, pero... ahora ¡andate!

Sólo unos arpegios de Bach y el mundo había cambiado. La excitación inicial por sentirme inmune al vaciamiento de mi casa, se había transformado en algo crucial. Por fin yo era más personas que yo. Lástima que todo fuese tan ficcional, tan difícil de entender y de aceptar como algo que fue vivido, justamente, para no ser entendido.

—¿Y cómo te llamo? No quisiera seguir con esto de... "voy a ver a la zurcidora". ¡Dame un nombre! —dije llevándome la mochila al hombro, para que estuviera tranquila de que me estaba yendo.

—Rosa.

Ella lo dijo con cara de estar diciendo algo cierto, pero sin que "sonara" demasiado a verdad. Un truco tierno. Me relajé.

—Entonces, "Rosa..." ¿cómo querés que hagamos? ¿Te dejo el mocasín y la bota, o sólo el mocasín?

—Leer la bota de lluvia es más difícil porque ya estuvo mucho en el agua. Pero con paciencia puedo intentarlo. ¿Hay más?

—¿Más cosas de la basura? Sí, hay más.

—Te doy un teléfono para que nos encontremos afuera. Pero acá acordate, Pablo, de no venir.

Mientras me fue acompañando a la salida, pude sentir nuevamente el roce de la seda entre sus piernas. Un sonido que parecía no haber existido nunca en las chicas que yo había conocido. Ella había dicho: "creí que eras un caradura que me quería levantar..." ¿O sea que algo había percibido?

Abrió la puerta, miró la calle con recelo, y pidió que me agachara para decirme algo en el oído. Eran unos números. Debí besarla.

Los cuestionamientos de Bowling

—¡Guauu, te pidió que te agacharas! Eso y decirte: "papito, ¡qué alto que sos!", es lo mismo. Y... ¿qué sentiste con sus labios en la oreja? ¿¡Qué pasó!?

Cuando por fin volví a encontrarme con Bowling, en esa casa emparchada de la autopista, sus comentarios fueron exuberantes. No le había dicho todo. Sólo la parte romántica, como para ganar puntos con él y que no me viera tan insípido. Salteé lo del agua, lo de la señora Stein, los disquettes de Rita... Lo que no estaba seguro si debía obviar, era que Juan sabía de la existencia de las hermanas hormiga. Era mi obligación que por lo menos lo supieran, y que fuesen ellas quienes juzgasen si estaban en peligro. Este fue su veredicto:

—Nene, pero... ¿a quién creés que le podemos caer bien de tu gente? A ese tipo de personas no les gusta que le revuelvan la basura. Vos por nosotras no te preocupés, más bien preocupate por vos, y si no tenés donde ir, ya sabés... acá, en lo de Nidia y Priscila, no molestás.

La charla fue agradable, cálida, pero no exagerada. No existió un "vení cuando quieras, que serás bienvenido..." Todo fue muy preciso y muy concreto. En realidad, lo que merecería decirse, es que no se sorprendieron de nada, y se manejaron profesionalmente haciendo uso de una aparente larga experiencia. Tampoco existió un ofrecimiento abierto para que las acompañara a su recolección de bolsas que se mueven, y más bien todo lo contrario, me hicieron notar que querían ir solas. Cuando fue la hora de la partida, Bowling me acompañó al colectivo y dijo:

—Ché, Pablo, ¿y si a la Rosa ésta la conociste tocando el timbre, cómo la conociste a Mariela ?

¡Dale con el tema! Bowling era hormonalmente imparable. Se había puesto sobre la cabeza la capucha de mi vieja cazadora de corderoy, y no parecía pelado. Es más, salvo por la manera que deformaba las zapatillas, casi no se notaba que fuese un chico de la autopista. Casi parecía ser yo hace unos años. Le pregunté:

—¿De veras querés saber? ¿Y para qué te sirve?

—¿Y para qué me sirve la luna? Vos contame.

Los colectivos en invierno siempre se demoran, pero no tanto como ese día. Yo creí que en mitad del relato, el 93 me podía salvar, pero desgraciadamente me dejó tiritar toda la historia:

"Fue por una carta. Yo en Navidad siempre me ponía mal y entonces hacía cosas que no se deben hacer. No me faltaban cosas materiales pero sí otras cosas. Entonces robaba. (No me pongás esa cara que es en serio). Yo en Navidad durante muchos años fui ladrón. ¿Sabés qué robaba? Le robaba las cartas a Papá Noel. Despacito, sin que me vieran, iba a los centros comerciales donde hay buzones para

Santa, y al menor descuido, sin que nadie se diera cuenta, me afanaba tres o cuatro cartas. Lo que quería era saber qué pedían los chicos. Quería robar el deseo. Desear algo, y creer que te lo iban a dar, me había parecido siempre algo increíble. (Si te aburro me decís y paramos). Bueno, el tema es que esto se había transformado en una especie de vicio. Me gustaba ir a un pasillo oscuro de mi casa, y abrir antes de que sean las doce mi secreto botín. (¿Sigo?) Las cartas que más me gustaban eran las que directamente escribían los chicos. Si me tocaba la letra de un grande, me daba una mufa total, porque siempre se trataba de una mala traducción. Como te dije, esto lo hice por mucho tiempo. Lo hice aún de grande cuando ya estaba en la facultad. Claro que, con la altura que ya tenía para esa época, me daba vergüenza estar merodeando los buzones de Santa... Así que me las ingeniaba haciéndoles creer a los demás que yo había ido por encargo de unos sobrinitos. Me agachaba y hacía el ademán de estar dejando unas cartas sobre la pila, pero en vez de eso, me las llevaba. Algunas veces eran los mismos chicos los que se daban cuenta de mi trampa, y hasta hubo más de una vez que uno de esos pequeños guardianes me acusó con su madre. He aquí, que la última vez que intenté robarme las cartas para Papá Noel, era tal la presión que me parecía recibir de los ojos infantiles que me observaban, que sólo atiné a llevarme una sola de las miles que había en ese shopping. ¿Conclusión? Esa Nochebuena sólo tuve un sobre para abrir, y cuando finalmente lo hice, me encontré con un texto insólito que decía: *—Querido Santa, si tenés ganas te puedo ver en el bar Unión, a las 12 y 45 pm. Te doy cuarenta y cinco minutos para que repartas los regalos y vengas. Apurate, llevaré un muérdago en mi porta ligas.*

Como te imaginarás, las cartas que yo abría solían pedir juguetes o una mascota, o lo que sea... ¡En absoluto esperaba encontrarme con la carta de una desquiciada! Supuse que era mi castigo por tantos años de hurtos. Así que me hice responsable de mi propio juego y fui a la cita. Hice todo lo que mencionaba la carta, menos ir vestido de Santa.

Cuando entré al famoso bar, había un sola mujer solitaria en un rincón. Era una señora paralítica, muy mayor, que al principio agradeció mi solidaria compañía. Pero luego, como yo estaba muy compenetrado con el rol que supuestamente me asignaba su nota, empecé con insistencia a buscar la hojita de muérdago entre sus piernas ortopédicas. Y... ¡oh, oh! fue entonces que la mujer se zarpó y gritó: ¡policía!

Ahí en ese momento conocí a Mariela, que saliendo de una punta oscura de la barra, pidió disculpas a la anciana mujer y muerta de risa me invitó a sentar. —*Si tenés una carta para Santa te digo quién soy* —dijo ella—. *¿Sos la que escribió ésta?* —pregunté mostrándosela. Y así fue como me enteré que Mariela no había dejado nunca de escribirle a Papá Noel, y aun de adulta lo seguía haciendo, con la esperanza de que existiera algo mágico de verdad. Lo mágico para ella fui yo, y bueno, así la conocí. Listo. Fin."

Cuando terminé, Bowling me miraba espantado. Nunca me había escuchado hablar tanto. Me observaba desconfiado, como si la historia no me perteneciese.

—Vos cuando querés podés hablar en fácil, ¿no? —irrumpió por fin.

—Me salió así —contesté creyendo que su comentario elogiaba mi esfuerzo por querer ser normal.

—Sí, pero... sonaba raro en vos. Te queda mal. Alguien que es retorcido tiene que hablar como retorcido. Parecías el tipo que maneja a "Chitrolita".

Mi imagen contando la historia de Mariela como si fuese un ventrílocuo fue siniestra. Después el "dulce" Bowling agregó:

—¿Y no pudiste salvarla? ¿Por qué es que se mató?

No hablé nada más. Pensé que Bowling no se merecía saber la historia. Yo no inventé a Mariela. Esa misma noche del bar, me había dicho que para ella la Navidad era una estrella clavada en las encías. Mariela ya sufría antes de que yo la conociese. Su única consistencia era el dolor, y podía llegar a él sin taparlo. Hasta su alegría venía de un lugar distinto al común de las personas. Sí, creo que Bowling ni siquiera supo ver la foto de Mariela. Dijo que tenía cara de muñeca, pero que se vestía como un payaso. Si se refería a que Mariela era ridícula, es cierto, jugaba a eso, a ridiculizarlo todo. Pero, ¿ella, payaso, yo, ventrílocuo? ¿Por qué, Bowling, que parecía ser el pendejo brillante que me entendía, insistía en colocarme en un circo?

—Che, Siberian, ¿así que ya de chico se te había dado por robar basura?

—Pablo, me llamo Pablo, y por si no escuchaste bien, eran cartas a...

—Sí, sí... ¿pero a quién se las robaste, gil? ¿A los chicos que le escribieron al Noel ese que no existe y que nunca las iba a recibir, o se las robabas al basurero? ¿O no sabías que los sobres esos los tiran directo sin abrir?

Creí que Bowling la iba a parar, pero siguió:

—Si te daba vergüenza sacarlas del buzón, hubieras esperado en la vereda, y las sacabas del tacho de basura del shopping. O te hubieras ido a la quema. ¿Vos nunca fuiste a la quema, no? Claro, ahí te hubieran matado los cartoneros. Imaginate, apenas hubieras puesto una mano en las montañas de sobres de papel, ¡zácate!... Sería como querer sacarles el pan dulce. Aunque pensándolo bien, vos sos un ladrón chiquito, tres o cuatro no les hacía nada. Quizás te hubieran hecho pegar un gran susto, y nada más. Un susto de verdad.

—¿Por qué? ¿Hasta ahora los que tuve fueron sustos de mentira, en la vida? ¿Por qué estás tan enojado conmigo, Bowling? ¿Yo qué te hice?

—Y... es medio estúpido vivir en el polo norte ¿no?

Cuando ya estaba viajando en el 93, recordé que para Bowling un estúpido, según me había dado a entender otras veces, era alguien capaz de hacer algo terrible a otra persona con la excusa de que no sabía, o que no se había dado cuenta. O sea que Bowling podía ser un amigo, un hermano menor, pero nunca iba a ser un "cómplice". ¡Reglas claras! ¿Cómo hacía este pendejo para no confundirse?

En ese momento, deseé que el colectivo chocase y me tuvieran que llevar al hospital. Y pensando esa estupidez, qué gracioso, me quedé dormido.

Sueño 7. Serie B.

En este instante: 40,65 de martes 32, se me acaban de caer los ojos en la sopa. Es curioso, nadie se ha dado cuenta salvo yo. El hombre sigue hablándome de memoria. La mujer me ofrece queso rallado. Ninguno de los dos parece percibir que mis ojos están cocinándose en el caldo caliente, y que me he quedado vacío en apenas un segundo.

¿Son mis padres? Se ven viejos... Viejos de una vejez irretornable. Viejos, impiadosos y ausentes.

No debo ponerlos juntos al mismo tiempo. Debo soñar con ellos por separado.

Desperté en el colectivo aún sintiéndome escaldado. "No debo ponerlos juntos", es lo primero que subrayé en amarillo una vez que fui directo a mi casa para recostarme. Mis padres nunca se habían puesto ellos mismos juntos. De hecho mi padre siempre estuvo en la Patagonia, a kilómetros de nosostros. Por supuesto que yo me ocupé de llevarlo a un tiempo aún más distante, pero... ¿por qué los junté en ese sueño? ¿Qué fue lo último que pasó antes de dormirme? ¿Bowling aclarando de alguna manera que no iba a ser nunca mi cómplice? ¿Quiénes son los cómplices aquí? ¿Mis viejos? ¿Cómplices de qué? ¿Qué cosa no me avisaron? ¿Cómo no se daban cuenta de que me iba comer mis propios ojos? ¿Cómo podían ser tan estúpidos?

Así sentí por primera vez el frío de esa palabra que tanto enojaba a Bowling. La idea de la estupidez, la comprensión de que alguien podía ser decididamente estúpido, se había apoyado debajo de mi almohada, y parecía un iceberg aguardando serenamente la proa de mi nuca. No podía dormir. Eran como las doce de la noche y no tenía nada para leer, salvo los documentos de la basura: tres en el lavarropas y uno en la mochila. Quería estudiar alguno, realmente compenetrarme con lo que ellos decían, pero al mismo tiempo quería la estupidez. Entendí que lo que más miedo me daba de ella, era poder ser atraído por su belleza. Hay estupideces bellas, eso no lo había mencionado Bowling. Quizás Bowling pudo mantenerse alejado, pero yo las conocía bien. Te atraen, te beben y nunca te devuelven. Donde quiera que te lleven, te modifican y jamás siquiera te dan la certeza de ser el total insurgente. Algo tuyo queda encallado en vos y para siempre.

Me levanté. No tenía sentido seguir en la cama. De todos los regresos a mi casa, ese había sido el más duro. Caminé hacia el living y cuando miré a mi alrededor vi que las bolsas con agua bendita, mis protectoras placentas cazamoscas de antaño, estaban desparramadas por el piso. Habían roto fuente y yacían destrozadas sobre su propio charco amniótico. Había sido culpa mía. Al irme por última vez, había dejado todas las dicroicas prendidas y el exceso de calor había derretido el plástico. Estaba tan obnubilado por el espectáculo poético y consolador que había creado al encenderlas, que no me di cuenta del peligro. El peligro de creer que algo ha nacido, cuando todavía apenas sólo ha encontrado una forma. Bowling tenía razón. Y las hormiga también. Esa noche pasada, cuando intenté convencerlas de que me permitiesen acompañarlas a su cacería de bolsas movedizas, me mandaron simplemente a freír espárragos con una frase de Platón que no condecía al supuesto nivel de primaria nocturna que les había atribuido: "…si las palabran no se mueren, está bien que no se despidan con énfasis". Sabían que me enganchaba con los griegos y me tiraron el anzuelo para sacarme del mapa. Claro que a un ser normal le hubiesen puesto como zanahoria un partido de fútbol, una buena final de algo por televisión, pero no, a mí hábilmente me ponían a Platón.

Platón el traidor. Joda esto de no tener un libro, un disco... ¡Sádico Juan, y sádicos todos!

Me sentí tan fallido como mi cuento de navidad, y a falta de otro sonido que me hiciera compañía, puse mi corazón a golpearse contra mi esternón. Toc, toc. Estúpido toc, toc.

Parte II

DE CUANDO PABLO NO TUVO MÁS REMEDIO QUE EMPEZAR A SABER

Pablo pregunta

Lo único que recordé fue el sonido de la ambulancia y a mi madre diciendo:

—Hijo, si querés morir, hijo, tenés que cuidarte mejor.

Era maravilloso cómo los más banales datos de la realidad podían ser útiles para un portero vigilante. Gracias a que el gallego me encontró tirado, cuando venía a quejarse de las filtraciones de agua que mis placentas cazamoscas dejaban escapar a los pisos vecinos, pude llegar a la sala de urgencias. Me habían cateterizado y pasteurizado como dios manda, y estaba atendido por esta madre a la que no se le entendía si estaba dando un consejo para que no me muera, o si al contrario, estaba diciendo que la próxima vez me cuidara de no fallar en el intento. Empecé a mirarla igual que Bowling lo había hecho el domingo. El nacimiento del pelo, el lóbulo de la oreja...

—Mamá, vos rubia de verdad no sos, papá menos, ¿a quién salí yo tan rubio?

—No hables, no podés hablar.

Dicho dulcemente, no podés hablar podía sonar como una indicación que obedecía las órdenes de un doctor, pero simplemente mi madre me estaba haciendo callar para siempre. La tenía ahí, fuera de su departamento, siguiendo el estatuto y el artículo en que una madre debe hacerse presente en el lecho comatoso de su hijo.

—¿Sos mi madre biológica, o no? ¿Hijo de quién soy?
—Vos no hablés, no podés hablar.

Mi dudosa madre se levantó de la silla y se fue con el médico. Tenía el pelo amarillo patito recién batido y las manos recién hechas. El traje cruzado, la cartera italiana, y la credencial sellada y firmada al día... ¡Mierda! Me habían traído al Hospital Militar. Hablaban, pero no escuchaba nada. De repente todo parecía haber quedado ausente de sonido humano. Sólo las letras de mi nombre emitían un quejido al balancearse desde el cartel que colgaba de mi pie. "Ves, podés trabajar en eso, en averiguar por qué se borran las palabras"... ¡Grande, Bowling! Recordarlo era darme cuenta de que él había presagiado mi tarea, como si fuese una ocurrencia distraída del momento. El problema era que la pegaba siempre. Demasiadas coincidencias. Planeé que apenas me dejaran salir del hospital me ocuparía más de él. Por ahí tendría que hablar con la maestra, hacerle ver el error, convencerla de que Bowling era muy inteligente y tenía que pasar de grado. Creo que quería ser genuinamente bueno, como si mi repentina autenticidad me pudiese proteger de algo. También pensé que los disquettes de Rita habían quedado en mi mochila, y que mi mochila estaba en mi depto, y que mi depto estaba solo. Tenía que llamar urgente a alguien y pedir ayuda. Que alguien fuera a rescatarlos. ¿Qué teléfono tenía memorizado que pudiese servir para esa tarea? ¡Rosa, mi bien amada zurcidora!

—¡Pablo, boludo!... ¿Pero a vos no se te puede dejar solo un segundo que te volvés un cardíaco?

Era Juan, interrumpiendo el número que yo trataba de recordar. ¿Cómo podían dejarlo pasar en plena sala de urgencias? ¿No se suponía que "sólo la familia próxima" y "cinco minutos nada más" y "que no se agite" y ...?

—Ya te lavaron todo lo que me llevé de tu casa, así que ya te puedo devolver la mayoría de las cosas. Vas a ver, que si no respirás ese olor asfixiante a formol, te vas a sentir mucho mejor.

Juan estaba vestido con traje y corbata. Un conjunto muy casual, que ofendía con su costosa aparente negligencia. Dijo que no me tenía que preocupar, que lo del corazón era un bloqueo de nacimiento. Que me faltaban unos estudios, pero creían que con un marcapasos se arreglaba.

Juan hablaba... y yo me despegaba de la cama, dejando caer encima de las sábanas la cáscara que hacía que casi no se notase que yo ya no estaba ahí. Fue maravilloso. Fue parecido a ser feliz. Tenían mi cuerpo pero no mi alma. Era como estar dentro de las fauces de alguien, sabiendo que el principal bocado de uno mismo nunca sería tocado. Pronto me volví adicto a ese descanso. Pasaron los días y era como seguir viéndome en televisión. Me daban de comer, me lavaban, había un horario para todo. Y podría haber seguido así, sin recordar siquiera que quería llamar a Rosa, si no fuese que a la semana, una enfermera me desconectó las venoclisis y dijo:

—Si seguís así, nene... ¡Fuiste, perdiste!

Era Nidia, prácticamente irreconocible, dentro de ese uniforme turquesa que le quedaba por lo menos dos talles más grande.

—Pichón, vos hacete el sota. Hay que sacarte de aquí, pero... ¡Ni me viste!

Yo quería hablarle pero no podía. Escribía en mi cabeza el texto, sin lograr que eso me ayudase a que saliese de la boca.

¿Sería que mi madre había finalmente conseguido ese "vos no hablés"?

—Pablucho, te voy a cambiar el menjunje que te pusieron en el suero, para que estés un poco más despabilado y nos podamos ir.

Dicho esto, entró otra enfermera en mi habitación, y Nidia, sin que le diese tiempo de sospechar nada, fue a la ofensiva:

—Querida... ¿no te avisó Zabaleta del cambio de turno? Si no querés el de la noche, yo que vos me iría corriendo a aclarar las cosas, "ahora".

La táctica funcionó y la enfermera invasora se fue a los piques. Admiré a Nidia. La amé por eso, y porque prometió que si no era ese el momento para sacarme del hospital, volvería a intentarlo. Yo tenía miedo, y sin los sedantes me dolía el corazón. Aunque, claro, para Nidia eso no podía ser así y me corrigió diciendo:

—El corazón no duele, así que no me pongas esas caritas. Lo que te puede estar doliendo, nene, es la angustia.

Como adivinando las preguntas que no pude hacerle, Nidia empezó a contarme que ella había logrado entrar al hospital, porque tenía una amiga que trabajaba en la morge que la hizo pasar de incógnito. Que supieron dónde estaba, porque Bowling se había ido a buscarme a mi casa, y que ahí el portero le dijo todo. Que de las cosas del departamento no me preocupara, porque ellas las habían encontrado y todo estaba bien protegido. Que lo del lavarropas, por ser un principiante no era mala idea, pero que había métodos mejores para esconder cosas. También contó que Bowling le había mandado a decir que no estaba enojado conmigo sino con lo que yo representaba, y que Priscila agregaba que no le hiciera caso a Bowling, y que me mejorara pronto.

Parecía que después de todo tenía una familia, y oh grandote de mí, me dormí llorando.

Sueño 8. Serie B.

A veces sueño que no estoy soñando.

El no soñante se mete en su caja de zapatos y ve adentro que todos son iguales a Juan. Idénticos a Juan. Parecidos a Juan.

Juan, Juan, ¡Juan!

El no soñante tiene que arrinconarse al fondo de la caja para no morir aplastado por todos los Juanes. Piensa que tiene que darse vuelta y avisar a alguien de que algo está equivocado, pero los Juanes no lo dejan. El no soñante sabe pero igual busca un calzador.

Juan uno, Juan dos, Juan tres... La caja está mojada de agua salada.

El no soñante sabe, pero igual busca un calzador.

A la mañana siguiente desperté pudiendo hablar. La primera visita que tuve fue la de Juan. Evité que supiera de mi avance foniátrico. Eso llevó a que Juan hablara solo, la mitad conmigo, y la otra mitad con el teléfono celular:

—Estoy en la clínica visitando a mi amigo, pero en veinte minutos calculo que estoy por allá.

Juan colgó y dejó apoyado el celular en la cama. Estaba nervioso y sin tiempo para prolegómenos. Desembuchó en el acto:

—Pablo, mirá... ganas de jugar al veo veo, no tengo. Lo que te dije el otro día que me tenés que dar es en serio. Así que cuando en unos días te den de alta, volvemos a hablar. Andá pensando lo que te conviene.

Cuando Juan se fue, su celular todavía estaba arriba de la cama. Poco a poco fui tirando de las sábanas, hasta que el teléfono estuvo a mi alcance. Miré alrededor. Me habían puesto en un cuarto "sólo para mí". Muchas veces había tenido la impresión de que la exclusividad era una forma amable de castigo.

La habitación estaba a oscuras y parecía una casamata de lujo. Todo en ese espacio parecía venir del ayer. Los cuadros de glaciares nacionales, los reportes médicos... Llovía y temí que también fuese de ayer la lluvia de ese hoy. Recordé una vez más el número de Rosa. Sin pensar que alguien pudiese sorprenderme, llamé:

—Rosa?

—¿Sí...?

—Rosa, te amo.

—¿Quién es?

—Pablo.

—¿Qué Pablo?

—Pablo zapatos.

—Ah... pero acordate que mi número no te lo di porque me amases sino porque me habías traído algo importante.

—Rosa, estoy en una clínica, necesito que vengas.

—¿Qué pasó?

—Es una emergencia, vení.

—¿A dónde?

—Al Hospital Militar.

—..................................

Rosa colgó al instante y me dio la pauta de que yo debía hacer lo mismo. Miré el celular con desconfianza. Con la misma desconfianza con la que luego miré los plafones, las cortinas, la maceta... y después a mi madre. Sí, apareció mi madre, y dijo:

—Hijo, deberías volver a casa y quedarte tranquilo, hijo.

"Hijo tranquilo", ésa hubiese sido una salida. Ella estaba ahí, pero sin ganas. Era una farsante no gánica, lo cual la hacía una mala farsante. Se había sentado en el borde de la cama, y controlaba el goteo del suero no avivándose de que estaba desconectado. Era de cuarta. No quería estar con ella. Quería tener fuerzas y poder irme. Desde muy chico, después de que mi madre me acostaba, miraba debajo de la cama para cerciorarme de que su visita no hubiese abierto un hueco en el piso.

—Te traje una foto, para que veas que soy tu madre, para que veas. Tu padre llamó y me dijo que te la mostrara.

Aun en la decrepitud de sus palabras, era respetable verla queriendo hacer los deberes. La foto era de ella con algo más de treinta años y con panza. Una panza debajo de un vestido con adornitos, que la hacía lucir aún más ñoña. Luego había otra foto de una panza desnuda y mi padre apoyado sobre ella. Mi padre llevaba puesto su delantal de médico. La mujer de la panza no tenía cara. No tardé en asociar esas dos fotos con los zapatos que yo recogía tirados en la calle, uno de un color y otro de otro, sin pares ni correspondencia.

—Hijo, ¿viste no...? ¿Viste?

Me di vuelta y justo cuando iba a devorarla, vino Rosa, la zurcidora, y dijo:

—Permiso señora, me dijo la enfermera que aunque sea cinco minutos lo podía visitar.

Estaba distinta... producida y emprolijada como para el lugar. Se presentó ante mi madre como la chica responsable que quería llevarse a su novio, para cuidarlo y ponerlo en vereda, y todo hubiese sido una cháchara teatral, ingeniosa, y hasta graciosa, si no hubiese sido que yo no estaba de humor. Algo me hacía volver a la foto de la panza. Quería estar solo con esa imagen. Rosa era genial, pero su irrupción me debilitaba. Apenas la había visto dos veces en mi vida, y ya estaba disputándole a mi madre su participación en mi alta. Rompí el silencio. Dije que quería hacer pis, y que se fueran. Recordé el sueño de las hadas, y que había cosas que no tenía gracia si no las hacía solo. Ellas no querían irse, estaban aún clavándose banderillas, pero mi discurso de orinar era tan gráfico como la imagen de un pene, y al toque salieron a esperar al pasillo. Me saqué entonces unas compresas que me molestaban y me levanté de la cama. Hacía muchos días que no estaba de pie, y el techo insistía en colarse debajo de cada paso que daba. Era difícil caminar. Pero desde la calle, los gritos entusiastas de un parque de diversiones me acercaron a la ventana. Estaban inaugurando un gran ascensor espacial que reproducía la sensación vertiginosa de caer en el vacío. Era muy empinado y estaba cubierto de vidrio y de unas luces cocoliche. Me pregunté por qué les divertía tanto simular la caída. "Jugar a caer". Había muchos juegos en el parque así. "Cuando tenga que caer, voy a caer de verdad", me había dicho una vez Bowling. A él sí tenía ganas de verlo. A Rosa, en ese momento, no. Era tan linda, con su seda, con su casa antigua... ¿Por qué tuvo que venir con esa invasión de lugares comunes?

Todo era tan confuso que me puse de cuclillas para fijarme si no estaba pisándome la cabeza. Me habían puesto un bata muy corta para mi altura. Se abrochaba atrás y no tenía calzoncillos. Era tan vergonzoso como saber que si algo iba a pasar, estaría pasando sin que supiese nunca cómo. Quizás negligentemente, con la misma negligencia con que salí de mi cuarto, y al ver que ni mi madre ni Rosa estaban merodeando los alrededores, fui acercándome lentamente a la entrada de la morgue.

Volver al punto de partida

Ahí estaba Marta "O", la amiga de Nidia, que trabajaba lavando las sábanas de los muertos. Al verme, como si supiese quién era yo, dijo:

—¿Por qué viniste acá, si en pocos días te daban el alta?

—Tenía apuro por irme —contesté.

Era una mujer muy blanca, que daba la sensación de estar hecha con levadura. Gozaba de cierta inteligencia torpe y descontaminada, y al igual que Orfeo, parecía venir de un sitio donde el alma descansaba de la palabra. Fijándome que sus dedos no tenían uñas, le pregunté:

—¿Hace mucho que está empleada aquí, en la morgue?

—Tantos como una espora —contestó alisando una funda de lino.

—Yo nací aquí. ¿Sabía?

—¿Quién te dijo?

—Está en mi partida de nacimiento. Quizás hasta usted me tuvo en sus brazos. ¿Por qué no?

—No creo. A mí me daban sólo las madres. A ustedes se los llevaban enseguida.

—¿Tuvo en brazos a mi madre?

—A ver... Dejame verte mejor.

Cuando Marta "O"me vio en detalle, dio un paso atrás y dejó de doblar las sábanas.

—Sí, me acuerdo de tu madre. Le decían la suequita. Pero vos... ¿qué sabés?

—Nidia me contó todo. (Mentí)

—Pero si a ella nunca le conté nada de esta chica en especial.

—¿Qué tenía de especial?

—No, digo, por los ojos, el pelo...

—¿Y qué más?

La entrevista terminó ahí. La luz de la morgue era como la del interior de un huevo. Una luz imperceptible de enorme presencia. Dije: "...el pájaro camina llevando el huevo de su muerte." Lo dije sin recordar de quién era el poema. Era un poema sin dueño, y con un olor agrio y penetrante como el de las molleras de los recién nacidos.

Marta "O" quiso que me fuera. Yo me sentía flotando en una albúmina. No había visto ningún cadáver pero los sentía. Lo que había visto era en cambio unos pequeños taper refrigerados y antes de irme le pregunté qué tenían. " Nada", me contestó, y me fui recordando que me llamaban "taper ware", y que "nada" era justamente la palabra que había usado toda mi vida: "nada, no me pasa nada".

Pegar los pedazos y escapar

—Hijo, ¿a dónde te habías ido? ¡Hijo!

—En serio, Pablo, te estábamos buscando. No estás para levantarte todavía. Si tenés un retroceso te van a demorar la salida.

Rosa y mi madre me estaban esperando. Regresé a mi habitación simulando un estado de sonambulismo que no tenía. Regresaba sabiendo tres cosas. Una, que efectivamente la que siempre dijo ser mi madre con suerte era mi madrastra. (Eso por supuesto me llevaba a la convicción de que mi padre seguía siendo mi padre.) Dos, que posiblemente tuviese que irme con Rosa, aunque no supiese muy bien por qué había armado esa parodia, y por qué me protegía de las garras familiares y de Juan. Y tres, yo había nacido separado de mí, lejos de mi comienzo, y aunque pudiese recordar algo, esa memoria reticente sólo estaría olvidando lo que quería responder.

—¿Sabés, "mamá", de qué me estaba acordando? —dije con ironía—. Me acordé de lo último que me dijo Mariela antes de morir. Me dijo: "¿por qué me salvaste si igual me morí?"

Mientras daba mi parlamento, una enfermera que no era Nidia me había ayudado a volver a la cama. Mi madre, ahora madrastra, se disculpaba con Rosa aclarándole que Mariela era un antigua novia mía, que yo había conocido antes que a ella, "por supuesto".

¡Idiota!, ¡mamarracho! Bien podría haberme querido esa mujer de fondant. Evidentemente yo había sido una imposición de mi padre en ese encerado hogar. No podía hacer otra cosa, más que olvidarme de todos y soñar...

Sueño 9. Serie B.

Bardo miró el desierto, se puso los guantes de iridio, y empezó a construir un espejo blando. Que yo sepa, nadie lo había intentado todavía. El agua estaba contaminada y tenía que alisar la arena vidriada, a fuerza de escupitajos.

Prontó consiguió hacer una masa brillante y elástica, y recordó la consigna: "Harás un espejo que te envuelva y te regrese a la salida."

A las dos horas, Bardo tembló de frío y se quedó dormido. Yo quise despertarlo, pero dos soñantes en un mismo sueño no logran nunca verse ni encontrarse. Odio los espejos inútiles. Debí soñar con mi madre. La verdadera. La muerta.

Creo que, entre este sueño y mi despertar, pasaron varios días y noches. La enfermera a la que sólo describí como: "no era Nidia", finalmente me había entubado. Se había cumplido la profecía de Rosa, ya no me darían el alta. Pesaba sobre mí la sospecha de un desequilibrio mental y nadie en ese hospital parecía interesado en dejarme ir. Tuve que pasar por muchas pruebas y entrevistas en el pabellón de psiquiatría, para recién poder recuperar el privilegio de las visitas. Como la de Juan, claro...

—Muy astuto lo tuyo, pero me tenés que dar lo que te pedí.

Asumí que era domingo, porque Juan venía disfrazado de Nike. Se había puesto una colonia nueva, de las que sólo están en el freeshop, y cuando se la elogié por joderlo, me dijo que en cambio yo olía a supositorio de glicerina, a lo que yo le respondí: el sorete sos vos. Así terminó nuestra amistad de mierda.

De alguna forma, creí llegar a la conclusión de que durante todo ese tiempo en que fuimos compañeros de escuela, y luego, para mi sorpresa, compañeros de facultad, Juan no había hecho más que cumplir con un contrato de vigilancia. Uno más como el que tenía con mi madre, al venir sistemáticamente a visitarme. "Muy astuto lo tuyo, pero me tenés que dar lo que te pedí". Juan ahora me apretaba de frente. Faltaba que me dijese: "yo te conozco". "Astuto lo tuyo", tenía esa dirección. Ni él, ni mi madre, habían nunca confiado en mí. Yo tenía el estigma del "mosquita muerta".

Antes de irse, y retomando la teatralidad de sus despedidas, Juan dijo: "la margarita se abrió, la perfección en un instante". "¿Sufi?" preguntó él, "ciente", se contentó a sí mismo como un boludo compulsivo. Y para rematar su chiste, me disparó martillando su dedo índice con un onomatopéyico "¡bum!"

¡Eureka! Juan esta enojado y su enojo me hacía digno. Por fin yo era responsable de algo. Ahora tenía que averiguar de qué. Casi simultáneamente, al salir Juan de mi habitación, entró la enfermera:

—Nene...

Esta vez la enfermera era Nidia, no, perdón, Priscila. Tres veces más ridícula que su hermana dentro de ese uniforme turquesa. Con cierto humor, y como para obligarme a calmarme del incidente con Juan, pregunté animado:

—¿Se están turnando?

—Y, sí, yo también quería verte.

—¿Y Bowling?

—Olvidate, no lo dejarían entrar.

—¿No hay forma de disfrazarlo de enfermera?

—No te hagás el vivaracho que saben que algo sabés. Y además, nene, están las cosas esas que recogimos de tu casa. Lo que están buscando, ¿lo tiene la chica esa, no?

Si se refería a los disquettes que me había mandado Rita, no podía ser que los tuviese Rosa, porque yo me los había llevado en la mochila. Lo único que ella podía tener, era el mocasín que había recuperado en el agua, y creo que también la bota de lluvia, pero nada más.

—Hiciste mal, nene, en ir a la morgue...

Priscila seguía dándome ese miedo sutil que infunden los débiles cuando uno desconoce totalmente de dónde viene su fuerza. Desde que conocí a las hermanas hormiga, ésta era la primera vez que tenía la oportunidad de observarlas por separado. Nidia tenía una alegría generosa y valiente, Priscila era más complicada de descifrar. Era como si ella misma no estuviese muy convencida de lo que deseaba mostrar. Cuando corrió las cortinas y se puso a ver hacia afuera, le pregunté si todavía estaba ahí el parque de diversiones, a lo que me contestó: "si no es éste, será otro". En realidad no era una respuesta muy acabada, pero el tono de amargura con el que estaba dicha, ponía al descubierto el subdesarrollo de mis emociones. Las de ellas tenían músculo, callos poderosos y ampollas invencibles. Las mías eran flácidas y anémicas. Ya sin ninguna dosis de perniciosa ironía, confesé en voz baja:

—¿Sabés que siempre te tuve un poco de miedo?

—Suele pasar.

—¿Qué cosa?

—Eso que dijiste. Que yo asusto.

Sonrió, corrió las cortinas nuevamente, y vino hacia mi cama respirando por las pupilas como sólo podía hacerlo una verdadera hormiga. Me asusté más.

—Es endémico —agregó—, a veces el miedo es peor que el cólera.

—Yo no debería tener miedo, ¿no?

—Por lo menos, nene, deberías estar metiendo la pata a propósito, y no así, como jugando al distraído. ¿No te parece?

Antes de que pudiese abrir la boca, Priscila embistió:

—Para mí ellos ya no creen que podés estar afuera. Tenés que salir vos por la tuya. La chica esa... Bowling nos contó algo, pero según él, vos no le dijiste nada de las cosas raras que ella nos está diciendo.

Por segunda vez, la chica "esa" era Rosa, y me sorprendió que tan rápidamente se hubiesen puesto en contacto con ella. Priscila seguía hablando, y de repente, preocupado de que nos estuviesen escuchando, le hice una seña que entendió al instante. Dijo: "dejame ver cómo estás", y se puso a tomarme el pulso, la fiebre, y todo lo que se suponía venía a tomar una enfermera. Luego sacó del placard una silla de ruedas, y me llevó en ella hasta las galería que da a los jardines, donde los dos, sin habernos consultado, creímos que era un lugar mejor para conversar. Avanzamos así por entre unas columnas elegantes, que pausadamente nos habían empezado a dejar ver la fuente y los álamos, cuando… cuatro sombreros olivas vinieron a detenernos:

—¡No es el horario para que estén aquí!

Eran los primeros uniformes militares que había visto en el hospital. Nidia les hubiese dado cualquier ingeniosa disculpa, pero Priscila no tenía la intención de inventar nada, y discutió:

—Este sector es de uso exclusivo para enfermos y a ustedes se los ve bien sanitos. ¿Qué hacen aquí?

¡Error, error! A los sombreros no se les discute y mucho menos se les interroga, ni se repite la misma palabra que ellos usaron antes. Priscila actuaba como una tirabombas y no encontrando otra forma de hacerla callar, me puse a toser. El tema es que la galería tenía una acústica especial, y la tos adquirió una autonomía imprevista, hasta tal punto, que siguió resonando aunque yo estuviese ya con la boca cerrada. Uno de los cuatro sombreros oliva se acercó entonces a mí, y con ese acento bienudo y confianzudo típico del alto rango, dijo:

—Che, ¿vos no serás el hijo del Doctor Patagonia? —(Así llamaban a mi padre, por su larga estadía en el sur).

—Sí —contesté con fastidio.

—Mirá la coincidencia... Justo tu padre me llamó hoy encargándome que me de una vuelta por la 602.

El sombrero estaba leyendo el número de mi habitación en mi silla de ruedas. Priscila, comprendiendo por fin que la mano venía en serio, se había replegado a un costado. Los otros tres sombreros oliva se habían agrupado en cambio al fondo. Las únicas fichas que seguían en juego éramos él y yo.

El sombrero amagó entonces con un silencio, dejó que unos segundos en blancos fuesen entendidos como el milagro de un perdón, algo que sonase a: "está bien, no me voy a meter con vos". Una vez que dejó sentado su poder ilusionista, siguió con un:

—Bueh, bueh, Pablito. Vos no te acordás de mí, pero me ibas a visitar seguido. Después salió tu padre con eso de "no influenciarte", y bueh, aquí estamos. ¿Cómo anda el bobo, ché?

—¿El bobo?

—El corazón, muchacho, el corazón... ¿No es por eso que te trajeron? Te cuento que, a tu viejo, la pequeña falla de nacimiento que te pudieron encontrar, no le preocupa tanto como tu estado mental. Creo que mi hijo te estuvo pidiendo que colaboraras. A él siempre le tocó bancarte, podrías hacerlo por él, ¿no?

—¿Por quién?

—Pero, ¡ché!... ¿Tan olvidado estás?

Hay pensamientos que no tienen fuerza gravitacional para orbitar y asumen un comportamiento errático. Son como asteroides. Un día no están, y otro día están ahí y te matan de una embolia a piedrazos.

—¡Sí! ¡SEÑOR! —contesté.

—Sí, ¡¿qué?! —dijo el guacho, pasando registro a mi imprevisto tono marcial.

—Que ¡sí!, que me olvidé.

—Entonces le voy a decir a Juan que te haga acordar.

Se incorporó, se dio media vuelta hacia donde estaban los demás, y antes de que pudiera darme cuenta de lo que estaba por pasar, en dos maniobras se fueron llevándose a Priscila. ¿A dónde? ¿Por qué?

Volví a mirar. No estaban. Pensé en pedir ayuda a esa amiga de las hermanas hormiga que había conocido en la morgue. Nadie más parecía confiable en ese lugar. Para avisarle tenía que levantarme y abandonar la silla de ruedas. Estaba entumecido... ¡Vamos, Pablo! Al incorporar las piernas y ponerme en marcha, recuerdo haber tenido la ilógica sensación de que mi alma sangraba. También recuerdo haberla insultado por eso. Haberle dicho "¡Imbécil!" y cosas por el estilo. ¿Cómo se le ocurriría hacer algo así? Era para mí difícil de creer, porque solía entender el alma como algo inmaterial, pero sin duda era ella la que chorreaba y manchaba el camino al ascensor. Quizás se trataba de un despegue anómalo, quizás no a todas las almas les pasaba lo mismo. Debió, ésta, estar muy encarnada. En fin, entré al ascensor y marqué el uno. El ascensor no se movía. Seguí marcando el uno, y tampoco se movía. Si alguien entrase, ¿vería las gotas rojas en el piso, o sólo serían visibles para mí? ¿Sería cierto lo de mi "estado" mental? ¿Qué quiso decir el sombrero con "estado"? ¿Por qué uno cae tan fácilmente en esas trampas? Marqué el uno otra vez y en un pequeño instante de conciencia me di cuenta de que yo ya estaba en el piso uno. ¡Error, Pablo! Para llegar a un lugar se tiene que marcar un nivel distinto al que uno está. ¡Información, información! "La morgue está en el S.S." Toqué el botón de abajo, el último, y en un zoom se abrió la puerta del ascensor, y grité: "¡Señora Marta O!". Nadie contestó; seguí llamando:

—¡Marta O!

Estaba solo en la morgue, y no me gustaba. Hacía mucho frío. Noté que la luz de la claraboya bajaba de a pedacitos, como si hubiese formado escarchas de sol, y fuese esa formación intermedia de la materia lo que estuviese cayendo. Puse mi cara debajo, y me pinché. Debí suponerlo, me retiré hacia la esquina con sombra. Ahí descubrí la gran bolsa de basura que el hospital había destinado para ese lugar. ¿Qué se tira donde se tira la vida? Creo que no estaba preparado para saberlo. Era una bolsa gris, de ese plástico grueso y opaco que no se consigue en un almacén común. Llevaba impresa la insignia del hospital y un precinto de seguridad bastante fácil de violar.

"¿Hay alguien aquí? ¿Alguien vivo?" Nadie contestaba. Me abrigué con una de las sábanas de lino con las que Marta O cubría a sus muertos. Eran ásperas, lavadas con crudeza, como dando por sentado que nadie les reclamaría algo de suavidad.

"Cuando me muera, me gustaría que me envuelvan en papel barrilete de colores". Ese día que Bowling lo dijo, no pareció ser un deseo importante. ¡Puta! Si tan sólo pudiese avisar que se llevaron a Priscila. "Soy un idiota. Soy el lingüista idiota. El no..." Me detuve. Odiaba hacerme el histriónico. Ese lugar estaba lleno de cosas que me exigían valor. Casi todas esas cosas había que abrirlas para saber qué tenían. La bolsa gris, las dieciséis puertitas blancas que conté en silencio, el cuaderno Gloria sobre el estrecho escritorio de Marta O... Todo era para abrir. "¡Joda!", dije. " Si uno quiere escaparse de acá, tiene que treparse a la claraboya. Apuesto que si me subo al escritorio ni siquiera yo llego hasta esa altura. ¿Y los taper? Estaban el otro día y ya no los veo. ¿Y si viene alguien ? ¡Tengo que llamar por teléfono! El celular de Juan no sé dónde quedó. Priscila necesita ayuda, Priscila necesita ayuda..."

¡Bien!, abrí el cuaderno. Nombres, fechas, números de habitaciones. Busqué la 602 y me pregunté por qué harían esa letra tan redonda, esos números tan perfectos, todo con regla, todo con lápiz. Dije: "¿Y si abro una de las dieciséis puertitas blancas, y en vez de encontrarme con un congelado, me encuentro con miles de cuadernos de años atrás?" Urgente, fui hacia la bolsa gris, rompí el precinto y miré. Era basura extraña, no por lo que era en sí, sino por la mezcla de las cosas que tenía. Dos saquitos usados de té, un pañal geriátrico enorme, viruta de sacapuntas por todos lados, un clip de pelo como los que usaba Mariela, y al fondo: ropa y migas. Sí, ropa de calle, algunas batas de hospital como la que yo llevaba puesta, y, efectivamente, migas de pan. ¿Habrá muerto esta gente con un pan en la mano, abrazándose a la idea de saber quiénes eran? Debía apurarme. Si quería escapar, tenía que ser ahora. Busqué algo de ropa, y cuando encontré algo que me iba más o menos bien, me la puse. Pensé que habría sido de alguien alto como yo, o como el hombre árbol de la plaza. De quien fuese, estaba claro que su muerte se había anticipado en los olores de su cuerpo, poniendo rancia su ropa mucho antes que el resto de él. Zapatos no había. ¿Qué habrían hecho con ellos? ¿Aparecerían más tarde como cuerpos insepultos? Ya no podía estar más ahí adentro. Saber y permanecer pudre todo. Recordé: "Tienen su isla a la vista pero no está cumplida la misión." ¡Error, Pablo! ¿Por qué pensar en Homero? El pantalón se me caía de cintura y busqué algo para atármelo. "Y beben sangre para recuperar su memoria." Creo que dije eso en griego y en voz alta, abrochándome el pantalón con cuatro grampas de metal. Ya de entrada, el que me viese tendría que saber que yo era un anexado, una especie de documento sujeto al pie de la calle. ¿Eso era lo que estaba detrás de la claraboya? ¿La calle?

"Pan, pan, pan". La realidad parecía escurrirse de mí queriéndose llevar el valor que aún me reservaba para pasar por ese engañoso tragaluz. ¿A quién se le ocurre poner un vidrio tan duro? "Estás hecho un fideo", había dicho Rita... ¡¡Crash!! Rompí el vidrio con la cabeza. No había rejas. En ese instante, sólo tenía que permitir que mis pies dejasen de tocar la silla que había puesto arriba de la mesa, y deslizarme de a poco entre las astillas y el frío.

Lo hice. Salir y avisar es una motivación muy fuerte. Cuando ya tenía la mitad del cuerpo afuera, en una especie de confusión cianótica, dije: "Me trepo para escapar y mi escapar es lento. He olvidado que nada me empuja. Estoy llegando tarde. Eso le pasa a los hijos de las madres muertas. He aquí la palabra de mi bautizo: ¡desperdicio!"

Parte III

DE CUANDO PABLO NO SE QUEDA SOLAMENTE CON SU HISTORIA

Pablo percibe que el afuera ya no es el mismo

Finalmente, al lograr salir del hospital y encontrarme ya en la calle, algunas luces parpadearon como si hubiese habido una falla de tensión. A pocos metros me esperaba el parque de diversiones. Lo evité bordeándolo por la acera de enfrente que, para mi sorpresa, estaba siendo barrida por unos viejos. Pensé que los viejos son los que siempre están ahí, esperándote con sus escobas. Son los que apenas te ven venir a veinte metros, te dan paso, pero igual chocan con vos, enojándose. Nunca tuve muy claro por qué te invitan a una vereda que después no les gusta que pises. Previendo eso me fui al medio de la calle, y me hubiese atropellado el camión que en ese momento estaba pasando, si no hubiese sido que justo era el camión de la basura que iba a la villa. Los muchachos recolectores, por suerte, me reconocieron:

—¡Siberian! ¿Sos loco? ¡Vení!

Me llamaban como lo hacía Bowling, eso me dio la pista de que quizás habían hablado de mí. Ellos fueron los que me subieron a la cabina y me llevaron directo a la autopista, con la misma naturalidad y la misma compasión con que se recoge el perro perdido de un vecino. Me hubiese gustado poder contarle esto a Mariela. En el trayecto, luego de pensar dieciocho formas de cómo explicarle a Nidia que se habían llevado a Priscila, me quedé dormido.

Sueño 1. Serie C. (Esta serie corresponde a los sueños después de haber escapado del hospital)

Hace unas horas... yo había entrado a un cuarto sabiendo que era de noche, y que si hacía ruido me despertaría. Hace unas horas yo era dos.

Recuerdo que te vi, como quien ve a un ser inmóvil. Recuerdo que me vi, como quien avanza empapelando con sus pies una caja de zapatos.

De pronto, el ser inmóvil se estira desde la cama, y me toma del brazo avisándome que yo estaba usando un papel mortuorio de cebolla, y que a la mañana estaría llorando.

Hace unas horas, uno de los dos murió. Probablemente fuese yo.

Al despertar, tuve la sensación de haber soñado, por primera vez, con mi madre real. Ese era un término que enseguida me resultó electrificante, pero priorizando no saber si el cuaderno de sueños estaba aún en mi mochila, dejé la búsqueda de un sinónimo para más tarde. Tenía otras cosas urgentes, además, al doblar por una esquina, uno de los recolectores que me había traído, me estaba diciendo con tono canchero:

—Che, Siberian, bajate. Más no podés pedir, ¿eh?...

Despabilado a medias, creo que llegué a contestar: "sí gracias". El camión me había dejado justo al pie de la casa de las hermanas hormiga. La puerta estaba abierta y entré. Detrás de la cortina de cretona, escuché la voz de Priscila hablando con Nidia. Estaba contándole que había salido del interrogatorio de rutina, a la que la habían sometido, gracias a dos de sus buenas mordidas ponzoñosas. Nidia, que al igual que yo, no podía creer lo que había pasado, preguntó:

—¿Lo mordiste?

—¡Donde pude! —contestó Priscila—. Después fui corriendo a buscar a Pablo, pero no estaba en ninguna parte. Tenés que volver vos.

—Pero, tarada, si soy igual a vos, me van a reconocer.

—Entonces que vaya la tal Rosa, ¿vos sabés como encontrarla?

—Sí, Negra, pero ojito... Bowling dice que todavía no sabemos si esa chica es de confianza.

Permanecí en secreto, gozando la oportunidad de estar enterándome de los pensamientos ocultos de las hormiga. Esto fue así, hasta que, lamentablemente, entraron a un tema que no me gustó un carajo.

—Pero, entonces... ¿Pablo qué es? —preguntó Nidia.

—Y para el papelito ese que nos dieron ahí, hace mucho, ¿te acordás? Bueno, ahí dice que exactamente un chico robado no es.

—¡Y cómo que no! ¿Es, o no es, el hijo de una desaparecida?

—Y sí...

—¿Entonces?

—No sé, Negra... Me dijo Marta O que el médico este no podía tener hijos con su mujer, y por eso agarró a una de las detenidas.

—¿La eligió así no más?

—¡Qué va! Su mujer quería un hijo rubio, así que...

—¿No es una casualidad?

—¿Cuál?

—Nosotros llamando Siberian, al hijo de alguien que llamaban Suequita. ¿No?

Toda la conversación era morbosa y de un mal gusto atroz. Deseé que fuese un diálogo de la televisión, y no uno de las hermanas hormiga. Para mí, ellas eran personajes raros, impredecibles, y ahora estaban ahí, hablando de mí con esa vulgaridad espantosa. ¿Tan obvias tenían que ser? ¿Tan a prueba de tarados, tenían que decir todo? Iba a irme, cuando sorpresivamente me atajó Bowling, y chistándome agachado, dijo en voz baja:

—No te calentés. Cuando las oí hablar de mi mamá Carlos, fueron peores.

—¿Peor que ésto?

—Sí, ¡te juro! Decían a cada rato "pobrecito".

—Pero Bowling, ¿no las escuchás? Están diciendo que mi viejo es un violador, torturador...

—¿¡Y qué!? ¿No lo sabías?

—Yo, no...

—¿Entonces por qué te quedaste con esas cosas de la basura?

—¿Con cuáles?

—Con las cosas esas escritas que escondiste en el lavarropas.

—¿Las leyeron? ¿Con qué permiso tocan mis cosas?

—Sos un nene. Jodete.

—¡Bowling!

—¿¡Qué!?

—Ayudame.

Bowling llamó a las hermanas y la cortina de cretona se abrió bruscamente dejando pasar una ráfaga de olor a trementina. Las dos, por fin, estaban juntas. Era inevitable que Priscila estando sola, me diese más miedo que junto a Nidia. Aunque en realidad a lo que más temía ahora era a la posibilidad de ya no tener dudas.

—Él está bien, y dice que le demos sus cosas.

Bowling dijo cada palabra como escupiéndola después de rumiarla, sin darse cuenta de que debajo de su pringosa gorra, su cráneo asomaba a punto de estallar. Me señalaba con su dedo mandón, y se lo veía tan alterado como el día que me acusó de vivir en el polo Norte. Nidia y Priscila me miraban nerviosas. Creo que les preocupaba que las hubiese podido escuchar. Estaban contentas de verme pero no lograban explicarse qué hacía yo ahí. Después de unos segundos de permanecer boquiabiertas, acataron el pedido de Bowling y se pusieron a caminar de una manera tan extraña que daba la sensación de estar retrocediendo para avanzar. Bowling y yo quedamos en silencio. Era nuestra forma de presionarnos. Al rato, ellas bajaron por una de esas pequeñas escaleras que crecían descontroladamente por la vivienda. Llevaban parte de mi mudanza. A veces, sin embargo, parecía que no llevaban nada... Sólo pequeños bultos de luz cargados sobre sus lomos de hormiga. ¡Por dios!, ¿quiénes eran estas tipas para hablar de Altos Comisariatos?

—Aquí tenés todo. Y ahora, por favor, nene... ¿nos podés decir cómo fue que te les escapaste y cómo así tenés esa sangre pegoteada en el pelo?

Las hermanas habían apoyado cuidadosamente mis cosas en el piso formando una especie de muestrario de lo que es el respeto por las cosas del otro. No pude rescatar de esa noche más que una sopa caliente y unas disculpas tibias que no alcanzaban a disipar la clara decepción de los tres. Esperaban que yo supiera hacer algo con la verdad, pero sólo la herida que me había hecho al chocar contra la claraboya del hospital me daba el aire heroico que parecían reclamar.

El "aquí tenés todo", en realidad no era cierto. Faltaban los disquettes. Era lo único que había desaparecido de mi mochila. Busqué entonces instintivamente la carta de Rita Cantoni dentro del bolsillo de mi pantalón, pero... yo no llevaba puesto mi jean, sino el pantalón gris de ese muerto parecido a mí. Sólo había en ese forro de tela gastada, una hoja seca de helecho. Bien podría haberme tocado el pantalón de un muerto normal, de esos que se dejan olvidado boletos de tren, o un cospel, pero no, continuaba siguiéndome la gente extraña. Pasé las yemas de los dedos por las esporas del helecho y creí estar leyendo algo en braille. Definitivamente estaba enloqueciendo. Tomé la última cucharada de sopa, soporté la onceava mirada de pena y desprecio de Bowling, y dije: "Me voy. Vuelvo a casa". Ahí me enteré de que Juan, aprovechando un inciso que me declaraba mentalmente incapacitado, había puesto en venta mi departamento y la nueva llave la tenía la inmobiliaria. ¡Bien, Pablo! " Robado, secuestrado, confiscado, exiliado".

—Pichón, hoy estamos todos muy confundidos, mejor nos acostamos y hablamos tranquilos a la mañana. ¿Sí?

Esa era Nidia la buena, Nidia la cruel. Esa noche preferí la brusquedad de Priscila haciéndome la cama. Al pie de la colchoneta de Bowling, ella había puesto una serie de almohadones tan irregulares y tan deformes, que al no poder alinearlos terminó ofreciéndome una camilla, con la aclaración de que era la de parto, y era muy dura. Opté por los almohadones y una echarpe para envolver los treinta centímetros de piernas que me sobraban. Bowling se acostó sin decir nada. Protestó al aire diciendo que yo olía a gladiolo, pero nada más, se dio media vuelta sobre las sábanas y ¡chau! Al rato de darme cuenta que jamás me dormiría, me levanté y fui al baño. Joda: la ducha ni siquiera tenía la canilla para el agua caliente.

Sueño x. Sin número ni serie.

Parpadeo. Veo. Creo que veo. Entre los barrotes de agua helada, una mosca lejana marca el límite de hasta dónde puedo avanzar. Aprendo. No por todos los sueños se puede caminar.

El linyera quema llantas en un baldío. Mi ojo mira su ojo, mirándome. El linyera tose y mi ojo se va con él y con el humo.

De la pila de llantas saca una mujer desnuda y la arrastra por el pelo como a una gran muñeca de plástico.

Sigo bajo el agua, mi cabeza destiñe, y al mirar a la muñeca arrastrada, mancho su pelo rubio de rojo.

El linyera llega a una casilla y dice: "vení, Negro". El perro ve la mujer en el piso y le pasa la lengua en cada llaga. La nariz, los oídos, el pubis. El linyera regresa, dice: "gracias, Negro", y el perro y él se acuestan.

Sobre las llagas lamidas crecen pequeñas plantas. Brotes de eneldos y algunas hojas de lechuga, que la muñeca desnuda lleva a su boca.

Veo que los muertos se comen a sí mismos. Veo la cara de mi madre. Pero en realidad no veo.

Dormir unos minutos pasado por agua fue lo mejor que me pudo pasar. Estaba violeta pero no me importaba. Me sentía como el mocasín que Rosa había remojado en la palangana. El olor a gladiolo y las manchas de sangre de mi frente se habían ido, y sólo quedaba solucionar cómo secarme y con qué vestirme. Por suerte atiné a sospechar que las maderas desportilladas que estaban junto al lavabo podían llegar a ser de un armario. ¡Bien!, había adentro una toalla enmohecida y algunos desinfectantes. También guantes descartables, jeringas, y un canasto llamativamente lleno de remedios que no alcancé a saber para qué eran. Tiritaba y me sequé. Cuando me miré en el espejo, vi que nunca había tenido tan largo el pelo. Pensé que era raro que no me lo hubiesen cortado en el hospital, y que una parte de mi último sueño estaba ahí en ese pelo, y en esa mueca de sonrisa que sostenía por si pudiese significar algo. Me di cuenta, así, de la velocidad con la que pueden venir los presentimientos. Vienen arrancándose los hilos que los estaban reteniendo, y avanzan furiosos desalojando la realidad provisional que uno mismo había instalado. Entendí que presentir formaba parte de la tarea de ser pobre. Pero no pobre de no tener plata, sino pobre de pobre, pobre de verdad.

Al abrir la puerta del baño, Bowling y las hormigas me esperaban con un desayuno de leche con mate cocido. Un pasticho que terminó siendo delicioso. No así la charla que estaba pendiente. Para mí era normal no creerme, pero entendía que no lo fuese para los otros. Para colmo llevaba esa sonrisa pegada en la cara…

—Vení, pichón, aquí tenías ropa que te habíamos traído de tu casa. ¿No la habías visto?

—¿Qué hora es? —pregunté.

—Las cinco.

—Es de noche —dije.

—Sí, claro.

Bowling era un experto sacando natas. Las soplaba llevándolas hasta el borde de la taza y cuando las tenía arrinconadas, plin, ¡fuera! A la cuarta nata, fue él el que habló.

—Che, Pablo, dice la zurcidora que no puede ser que vos no supieras lo que tenía ese coso.

—¿Qué coso?

—El mocasín ese.

—No sé de qué me hablás.

—Por ahí es una casualidad. Pero... ¿vos leíste bien los papeles que te guardaste de la basura?

—¿Cuáles?

—Los del lavarropas, ¡gil!

—¿Se los diste a Rosa?

—Si te engranás otra vez, no te aguanto. No se los di a nadie, pero para mí que se parecen a la historia del zapato.

—¿Qué historia? A mí, Rosa no me la dijo.

—Dice que el mocasín fue de alguien que murió como electrocutado. Que le hicieron de todo y que sufri…

—¿Y yo qué puedo hacer?

—Y… a veces uno tiene que hacer algo aunque no sirva para nada.

—Yo creo que hay que cuidar la energía, que uno no puede estar…

—Me parece que vos sos de esos boludos que no usan la pija porque creen que se les gasta.

—Vos tenés doce, trece años, no podés hablar así.

—Vos tenés casi veinticinco y tampoco podés hablar así.

—¿Así, cómo?

Hasta entonces ni Nidia ni Priscila habían intervenido, pero temiendo que la respuesta de Bowling fuera excesiva, se apuraron a interrumpirlo, y trayendo una página de esos famosos papeles por los cuales discutíamos, la leyeron en voz alta: "*Creí que se trataba de otra adolescente esquizofrénica. Su legajo explicaba que ella decía ser hija de un pimpollo de rosa, y que tenía una especie de padre y hermano adoptivo llamado Fermín. Cuando la vi, me encontré con una chica menuda y con un rostro hermoso fuera de lo común. Estos son algunos fragmentos de la jornada terapéutica en mis primeras experiencias como médico. (PRIMERA ENTREVISTA - noviembre 23, de 10 a 12 pm.)*

—Oiga señor, yo no sé por qué me pide que le hable de Fermín, si yo hace mucho que no lo veo.

—¿Qué pasó hace mucho?

—Y, que Fermín me sacó de su bolsillo y yo nací... (Silencio)

—Me estabas diciendo que habías nacido del bolsillo...

—Sí, algunas cosas las sé porque me las dijo él.

—¿Sí?

—Y, nada, así supe.

—¿Qué te dijo Fermín? ¿Te acordás qué palabras usó?

—¡Ah no! Él las palabras no te las mostraba. Era genial para eso. Las escondía en el flequillo, o las mezclaba con la lana del pullover. (Silencio)

—¿Sí? Me estabas diciendo...

—No decir no le estaba diciendo nada, pero si quiere le puedo leer una de las cartas que le mandó la vieja.

Nota: la paciente hace el gesto de sacar algo de la manga, pero no saca nada. No obstante, mueve los dedos como si estuviese desplegando un papel, y empieza a leer de memoria creyendo que realmente tiene una carta en sus manos".

Mientras Priscila seguía leyendo, Nidia se ocupaba de detectar qué parte de la lectura iba a alojarse a cada uno de mis ojos; como si a cada uno le perteneciese un código de barras diferente. ¿Por qué me habrían leído eso? No había ácaros en el ambiente, ni partículas flotantes del antiguo formol, pero podía sentir las manchas rosadas brotando por mi cara. Olfateando más en detalle la tela del mantel sobre el que desayunábamos, pude distinguir el olor de ese polvo de lavar barato, que yo solía analizar como índice indiscutible de la basura encontrada en el consumo de clase baja. "Por ahí es eso. Tengo alergia a esa marca de detergente. A eso, a los papeles manchados de amarillo..."

—Pablo, ¿vos estás escuchando, nene?

¡Minga! ¿Cómo podía escuchar una carta que había leído más de mil veces?

—Vos la agarraste. Vos la sacaste de donde estaba tirada y la guardaste. Debería interesarte un poquito. ¿No, pichón?

—Sí —contesté sin saber si era Nidia o Priscila la que me estaba hablando— la leí pero no la entiendo. No sé de qué época es, ni de quién están hablando, ni qué tiene que ver con el mocasín. Aquí no hablan de electricidad, sino de gente que la llevan a una habitación blanca donde el piso es un estanque. Y la gente camina sobre los zócalos en puntillas de pie, porque si se caen al estanque mueren.

—Es Rosa.

—¿Qué?

Bowling, gozando sádicamente de la descomposición de mi cara, continuó:

—Para mí que la chica esta es Rosa.

—¿Vos lo decís porque Rosa hace cosas raras y parece tan loca como la paciente de ese doctor?

—Ajá, y porque el día que la busqué para decirle cómo estabas, me contó de su vida, y eso.

—¿Y por qué te contó a vos y a mí no?

—Y, puede ser porque no le preguntaste. Vos nunca preguntás sobre los demás.

Las hermanas hormiga me sirvieron más mate cocido y me pareció que hasta una de ellas me dio un golpecito en la espalda. No hice caso, sólo toreé al enano preguntándole qué más le había dicho Rosa.

—¿Qué más me dijo? Dijo que de chica la habían puesto en una clínica para colifas porque creían que decía mentiras, y que fue un residente el que se avivó que lo que decía era cierto, y por eso zafó.

—¿Y de loca, así no más, se transformó en bioquímica y epistemóloga?

—No sé qué es eso.

—Yo tampoco, Pablo —dijo Nidia, retándome—. Lo que dice Bowling es que tu amiga por algo se dedica a lo que no se ve. Ella dice zurcidos invisibles pero fijate, nene, que hace cosas como las del chico de la carta. Fermín, ¿no? Además, ¿por qué lavar algo que estaba en el agua? ¿Qué agua lava el agua, si no es el agua de la vida? Hay que tener más respeto por la gente que vivió cosas, pichón.

Yo quería terminarla ahí. Quizás comer en silencio un pedazo de pan. Pero no, dele que te dele, total... Por algún motivo los tres se habían puesto de acuerdo que, de la noche a la mañana, yo era fuerte y aguantaba todo. La que la siguió de nuevo fue Nidia, y lo hizo en un tono de estampita, espantosamente cursi.

—A veces uno cree que la verdad está en uno. Pero si uno no es un hindú, a mí se me hace que lo que uno encuentra es una gran montaña de egoísmo. Yo, Pablucho, creo que no sabemos buscar adentro nuestro, como le dicen. Encontramos la verdad que nos conviene. Son verdades chiquitas y mezquinas por la que uno espera algún tipo de paga por el dolor sufrido. "Huy, huy, huy… ya sufrí mucho, no me vengan a mí con eso…"

La miré como se puede mirar a un político. Para contestarle esperé descubrirle algún tipo de machete, pero al no ver nada, callé. Los minutos que vinieron, fueron de tostadas, cucharitas y manteca. Por momentos hasta tuve la impresión de que me engullían, especialmente Bowling, que del enojo de anoche había pasado al silencio voraz. Nadie en esa casa parecía estar dispuesto a hacerme algún tipo de concesión por mi reciente convalecencia. Cuando finalmente nos levantamos de la mesa, quise colaborar y lavé las tazas, luego ayudé a acomodar los almohadones que me habían servido de cama, y cuando iba a tirar unas colillas, fui parado en seco.

—No, no... la que tira la basura aquí es Priscila.

—Sí, soy yo, pero las colillas no son basura, son buenas para las plantas.

Después Bowling me dijo algo así como que no podía darle a las mamás monas, bananas verdes; con lo que entendí que en esa casa tirar algo era un acto reflexivo de otra naturaleza. En las horas siguientes, debí aprender a conformarme con ser útil sólo en los espacios de "hombre de la casa", que Bowling aún no podía ocupar.

—Nene, vení vos que sos alto. Poneme esta macetita ahí arriba que yo no alcanzo.

No fue mucho. Apenas les ahorré el trabajo de estar subiendo y bajando de esas escaleras inconducentes que recién entonces empezaba a entender. Algo es algo.

Bowling era el que barría. Acordándome del hombre árbol, le pregunté si usaba pala y me contestó que sí. No lo podía creer. Algo normal había en esa casa. Cuando ya eran cinco las macetas que había colgado del techo, pregunté por qué estábamos haciendo todo esto a esa hora tan temprana de la mañana; pero si hubiese sido una pregunta de concurso, nadie hubiera acertado con la respuesta:

—Es que de cinco a seis, nacen menos chicos que de seis a siete.

No terminaron las hermanas hormiga de dar la explicación, que llamaron a la puerta. Bowling me agarró del brazo, y me dijo que no era de buen agüero mirar a una parturienta. Así que fuimos a la vereda, y de ahí al puente, y de ahí a la autopista, y de ahí a dos preguntas que nos llevaron, casi, a lastimarnos:

—Bowling, ¿por qué no vas más a la escuela?

—Pablo, ¿por qué no estás buscando los disquitos esos que decís que te afanaron de la mochila?

Pablo quiere enfriar las cosas, pero Bowling no lo deja

Lo malo de madrugar tan temprano es, justamente, que después de madrugar dios te ayuda, y uno no sabe muy bien si quiere volver a la versión original guardada sobre la ayuda de dios, o cancelar todo y salir por la ventana.

Llevábamos una hora caminando y no estábamos cansados. En realidad Bowling sí estaba cansado, pero yo estaba feliz, disfrutando mi primera mañana después de ese tiempo cautivo en el hospital. Nos deteníamos sólo de vez en cuando sobre el reflejo de alguna vidriera, y ahí yo aprovechaba y veía si mi pelo flotaba. Era medio de narciso, o de marica, pero era así. Yo estaba sorprendido por el largo de esos mechones que volaban sobre mis orejas y por segundos parecía importarme más eso que los ataques filosóficos de Bowling de ese día...

—Che, Pablo, ¿no te pasa que a veces te acordás de cosas y en el momento que te las estás acordando y las estás contando, ¡pum!, viene alguien y te corrige, y lo querés matar?

—Yo...

—Yo, ¿qué?

—Nada, Bowlling. La memoria siempre contradice.

—¿Contradice qué?

—Dejalo ahí.

—Pero con tu amigo Juan, por ejemplo, ¿no te pasaba que él se acordaba de lo mismo que vos, pero diferente?

—Ya no me importa Juan.

—Está bien olvidate de Juan, o de Pepe... De quien sea. Lo que te estoy diciendo es que a veces la gente se te mete en los recuerdos. Vos creés que son tuyos, pero después vienen los chabones y dicen que no, que son de ellos. Que te los habían dejado prestado por un cachito, no más. Entonces te los quedás mirando y pensás: "oia, me usaron de armario".

—¡Pará, Bowling! ¿Qué te pasa? Tampoco es que seamos androides. Hay recuerdos que son de uno.

—¿Ah, sí? ¿Dónde están? ¿Si uno tiene el recuerdo de los otros, quién tiene los de uno?

La conversación se había detenido al pie de un semáforo. Bowling estaba angustiado, ya no era el agrandado que observaba todo irónicamente, y más bien parecía un patito mojado. Aunque no hacía frío, se había puesto mi vieja campera. Creo que la estaba usando porque yo se la había regalado. Me agaché, lo estrujé fuerte con un abrazo, y le dije que uno tiene más cosas que la memoria. Se notaba que le gustaba ser abrazado, pero apenas la luz se puso en verde y cruzamos, Bowling siguió:

—Sí, pero por ejemplo, ¿no...? ¡Las estrellas! Uno las ve, dice qué lindas, pero no están de verdad. Son una luz que queda ahí, medio en babia.

—¿Y entonces?

—Y que uno siempre está mirando atrasado. ¿Cómo sé que te veo, y sos un "sos", y no un "fuiste"?

—Bowling, no te des máquina, te va a hacer mal. En serio te digo, ¿te pasó algo?

Bowling lloró. Lo senté en una de esas bancas donde se espera el colectivo, y después de tres sonadas mocosas dentro de un vaso descartable que sacamos del papelero, confesó:

—Lo que pasa es que leí tus cosas. El cuaderno con los subrayones amarillos donde escribís: sueño 1, sueño 2, y eso...

Bowling hizo silencio como esperando que le diese un mamporro por poner las narices donde no debía, pero como mi cara ya estaba jugada a hacer de bueno, siguió:

—Y lo que me tiene mal es que si vos tenés todo eso y no te das cuenta de nada, por ahí a mí también me pasa lo mismo.

—¿Qué cosa?

—Y, la de no cazar ni una.

Bowling me contó que había vuelto a soñar con ese álbum de figuritas donde la gente se cambiaba de lugar y se ponía debajo de la historieta equivocada, y que en ese mismo sueño había visto la libreta de ahorros de mamá Carlos.

—¿Qué? ¿Te dejó guita? —pregunté.

—No, es la que ella ahorró para poder encargarme.

—Cierto que vos sos de probeta. ¿No le salía más barato adoptar un chico en la Casa Cuna?

—Es que quería participar.

—No entiendo.

—Quería un hijo de sangre, entonces para ser mi mamá primero tuvo que ser mi papá.

—Querés decir que el esperma que usaron...

—Sí.

—¿Y te parece mal?

—Y... antes me parecía bien porque era como un acto de amor y esas cosas, pero ahora con tu tema, vi que la gente por tener un hijo con su RH puede matar. Eso hicieron tu viejo y la jermu, ¿no? Digo, son asesinos.

Lo llevé a un bar a tomar algo, básicamente porque yo ya no aguantaba tanta densidad. Podía bancarme su lucidez, pero no su ingenuidad. Su ingenuidad me ponía en el deber de tener claro que la condición de asesino de mi padre era previa e independiente a su deseo de ser padre. ¿Pero qué le pasaba a Bowling? Ya no resistía más tiempo de estar en la obligatoriedad de ser yo el adulto contenedor, cuando... ¡aplausos!, vino el mozo y preguntó:

—¿De grasa o de confitería?

—¿Qué cosa?

—Las medialunas. ¿De grasa, o de confitería?

Ahí salté la carcajada. Una fuerte y bien maleducada, como la que me hubiese gustado que se mandase Bowling. El mozo se dio media vuelta y Bowling dijo radiante:

—Ché, que te van a embocar. ¿Qué te dio risa?

—Y que yo no sé, ahora, cómo llamar a mi vieja, a la señora dormida esa que conociste...

—¿Y el chiste?

—No, que el mozo me dio una buena idea para llamarla.

—¿Cómo?

—Madre de confitería. Madre de grasa no le cabe, pero madre de confitería, eso le gustaría.

Bowling ni siquiera rió de compromiso y morfó la primera medialuna que se le cruzó en el camino, dejando sentado que haría caso omiso a cualquier regresión boluda que se me pudiese volver a ocurrir. Después, sacó del interior del forro de la campera mi cuaderno de sueños, y continuó con la cantaleta:

—¡Huy! Disculpá que se me arrugó un cacho... Pero te lo traje para que me expliques algo.

—¿Qué cosa? —contesté sin hacerme gracia que mi primer cuaderno anduviese dando vueltas por la ciudad.

—Los sueños de la serie A no son como sueños, son como fábulas. ¿Son de cuando eras muy chico y buscabas moralejas?

Odiaba que me hicieran preguntas que de por sí pretendían contestarse solas. Sin que le diese mi permiso, Bowling leyó con la boca llena: *"Un niño gitano fue al mar. Viendo un pececito, lo agarró con la mano y se lo comió vivo. Era tal su prisa cuando se lo engulló, aún aleteando, que diose la suerte de pasarle por el otro cañito. No el de la glotis, sino el de la tráquea; alojándose así el pequeño pez, tembloroso, entre los pulmones.*

Aún hoy el niño, que ya es un joven, cuando se acerca al mar arroja su cuerpo a las olas, y es el pez que lleva consigo el que lo hace nadar con alegría."

—Es cierto que parece de Esopo, pero no sé para que me lo leés. ¿Para vos qué quiere decir?

—Y para mí una pista sería que si no fuera un chico gitano, el pibito jamás nadaría con alegría. Nadaría con culpa.

—¿Sabés, Bowling, que en griego culpa y causa son lo mismo?

—¡Oh! —dijo Bowling.

—¡Ah! —dije yo, gustoso de que apareciese el primer asomo de humor.

—Pero tu madre no era gitana.

—Ninguna de las dos.

—Entonces te hace falta una. Ya que tenés dos, ¿no podés inventarte otra que sí sea gitana, y tener tres? Yo tengo seis y mirá cómo estoy.

—¿"Pefetamente"?

—¡Oh!

—¡Ah!

Los ¡Oh, Ah! fueron el hallazgo de ese día. Desde entonces los usábamos como sopapa cada vez que queríamos succionarnos el corazón y destaparlo a fondo. Ahí sí nos reímos en simultáneo. El enano a su manera, me había hecho el regalo de perdonarme, y de enseñarme cómo perdonarme a mí mismo. ¡Oh, ah! Vino el mozo y, a duras penas, pagamos una cuenta más que discreta. Bowling por supuesto, dándose cuenta del esfuerzo monetario, preguntó:

—Che, Pablo... ¿cómo vas a vivir ahora?

—Puedo vender el reloj.

—Yo nunca te vi ninguno.

—Es el de graduación, está entre las cosas que Nidia y Priscila trajeron de mi casa.

—¿Ayer a la noche, cuando nos acostamos... ¿Estaba cerca mío?

—¿Por qué? ¿Sos cleptómano de relojes?

—No, pero yo los exploto.

—¿Cómo así?

—Bueno, explotar de ¡bum!, no, pero parecido... Me pongo cerca de un reloj y lo hago bolsa. Sobre todo a la noche, aunque no lo toque, se vuelve loco. Adelanta, atrasa.... No me llevo bien con los relojes...

—¿Qué, los dejás con taquicardia? ¿Podés asustar al tiempo?

Bowling puso su mejor cara de hombre lobo y luego saltó:

—¿Por qué no lo llamás?

—¿A quién?

—A Juan. Él se te llevó todo. Se quedó con tu casa, tu auto, ¡todo! Dale, llamálo...

Terminamos en un pacto: yo llamaba a Juan y lo puteaba, y él iba hoy al colegio y me dejaba hablar con su maestra. Caminamos así dos cuadras y llegamos a la cabina telefónica. Bowling estaba tan excitado que hasta él mismo me dio la moneda. Quería saber si yo decía malas palabras, y hasta qué punto me atrevía a arrinconar a Juan, y al padre milico que me ocultó siempre. Cuando me puse a marcar el número, vi que una espora del helecho que estaba en el pantalón que me había llevado de la morgue, había quedado clavada debajo de mi uña.

Es curioso que haya elegido quedarse en mi dedo índice... La espora estaba ahí, ni viva, ni muerta. Latía conmigo la poderosa sensación de llevar un disco rígido vegetal dentro mi carne. La euforia me duro poco. Empezó a sonar el teléfono. Bowling se reía en la cabina y yo escuchaba. Al rato corté y dije:

—Había una mina.

—¿Qué?

—Que era el contestador de Juan, pero la que hablaba en la grabación era una mina.

—¡Huy!, las minas cuando hacen eso están marcando el territorio.

Buena imagen la del pendejo. Juan había vivido con otras chicas, pero ésta era la primera vez que ponía el cartelito: "es mío, no me lo toques". Tuve bronca de que alguien se interesase así por Juan. Me tragué todo comentario, pero Bowling igual algo percibió...

—¿Y si Juan no fue y la que se llevó los disquettes fue Rosa?

¿La voz de esa mina era la de Rosa? ¿Era eso lo que insinuaba el nenito? Yo había llegado a Rosa a través de Juan, eso era cierto. Él era quien me había dado la dirección de la zurcidora a la que supuestamente iba Olga. No quise discutir con Bowling la relación que él acaba de establecer. Le expliqué que los disquettes tenían un polígrafo que había hecho una señora que sabía mucho de los griegos. Que era un dibujo muy complejo, que tenía la clave de un acertijo de Homero, y que eso podía importarle a Juan, pero no a Rosa. Bowling puso cara de perplejo y, con el tacto que lo caracterizaba, me aclaró que un polígrafo era un detector de mentiras.

—Cualquiera lo sabe, ¡gil de cuarta! Ahora casi todos los canas lo tienen. Antes sólo si creían que choreaste droga te lo enchufaban, pero ahora en cualquier comisaría te hacen "el mapita".

El terror de Bowling de estar mirando algo que no es fue en ese momento mío. "¿Y Si la vieja Odex, la misteriosa Olga Stein que tan afanosamente busqué, no había hecho nunca una interpretación del acertijo, sino una prueba de verdad y mentira a todos nosotros? ¿Por qué esta mujer escorzada, a quien Rosa quería proteger, recogía textos de la basura y llevaba a zurcir su significado, como yo llevaba mis zapatos abandonados a rehabitarse de memoria nuevamente?"

Hacía tiempo que no me mandaba un speach mental tan enroscado. Creí que de pe a pa me había equivocado en todo. Los vértices en arameo, todas las letras extrañas de ese dibujo, posiblemente no eran lo que eran. Si la vieja no estaba entonces concursando, ¿por qué carajo nos eligieron a mí y a Juan para el puesto, si no hicimos otra cosa más que copiarnos de una respuesta que no contestaba nada? Estaba furioso.

—Pablo, ché, ¡Pablo!

Bowling me tironeó el brazo, intentando bajarme a tierra. Estábamos ya fuera del bar, yo grité: ¡taxi!, y un auto frenó llevándonos a la escuela. "Perdón, pero no puedo hablar hoy con tu maestra". Dije eso, y dejé a Bowling en la entrada sin darme cuenta de que el colegio parecía un campo de refugiados.

En el trayecto a la casa de Rosa, me dormí con la ilusión de que al despertar tuviese plata para pagar el taxi. No tenía ganas de que encima, me encajasen una trompada.

Segundo Sueño x. Sin número ni serie. (Ya todo es una contradicción.)

Sueño con Bardo. Sueño que hace dos noches él amanece con todos los huesos fracturados de la mano. Uno a uno trata de reconocer sus dedos entre una decena de colgajos desinflados.

"Deben ser los sueños", pienso. "Tan pesados, tan macizos... avanzando como tractores enloquecidos debajo de su almohada".

A la noche siguiente, Bardo se protege las manos con guantes de acero sin obtener mejor resultado, y llega a creer que son los cuatro elefantes que sostienen el mundo, los que lo aplastan mientras duerme.

Lo siento, padre. El mundo cae y no puedo ayudarte. Eso te pasa por soñar mientras yo sueño. Abandóname para siempre. No quiero tu sangre.

Crecer

—¡Pibe! No te me hagás el dormido, que yo no nací ayer.

—Espere un segundo que me bajo, toco el timbre y le pagan.

Manguear a Rosa para pagarle al taxista fue un vergonzoso modo de encuentro. Yo quería enfrentarla a mis sospechas sobre su presunta complicidad con Juan, y en cambio me replegué dócilmente entre los pétalos de esas paredes que volvían a envolverme como el primer día, a pesar de que yo había prometido no regresar.

Eran recién las nueve y Rosa estaba apenas levantada. Tenía puesta una bata ocre, muy suelta, y con la que parecía haber dormido acurrucada estilo capullo de seda. "¿Ya desayunaste?", me preguntó. "Dos veces", le contesté. Después expliqué que me había levantado a las cinco de la mañana, aunque en realidad creía que nunca me había acostado. Después ella dijo algo. Después yo también dije algo. No recuerdo los algo, pero sé que la presencia de Rosa me habitaba. La seguí hasta la cocina. Su caminar era erótico y ascético a la vez, y fluía sin ninguna forma. Todos sus sentidos parecían estar templándose hacia un profundo cambio de su existencia. Cuando llegamos se dio vuelta y me dijo en voz baja:

—¿Sabías que de chica también me escapé de un hospital? La señora Stein tiene la teoría de que puedo enhebrarme en los espejos. Me encanta eso de "enhebrarme..."

Se suponía que Rosa estaba hablándome de su verdadera historia, la que sin dudas parecía coincidir con la carta que hacía unas horas me había leído Nidia. Me parecía imposible la coincidencia, pero no podían existir muchas personas más que supiesen ver lo invisible. Ella había nacido en cautiverio, el resto de la historia no la podía asimilar. Tenía que tomar un respiro. Bowling hubiera dicho que a veces sólo la otra persona es nuestra memoria. Si eso fuese así, mi etapa de basurero habría sido para recoger los fragmentos con que yo, y otros yo, nos habían estrellado.

—Pablo, ¿querés igualmente un té, un café... algo?

La miré detenidamente, y al hacerlo vi también mis pensamientos. Se habían adelantado y estaban fuera de mí. Estaban, ahí, como animales, patrullando alrededor del cuerpo de Rosa. Me acerqué y me uní a ellos. Rosa parecía sólo escuchar el sonido del agua hirviendo, y no el rugido de mi metamorfosis. Celosamente, con la seguridad de un guardián, aparté su cuerpo de cualquier cosa que pudiese tocarlo. Le saqué la tetera de las manos, luego le saqué un mechón de pelo que tenía sobre la cara, luego le saqué la ridícula bata ocre. Rosa bajó los ojos y vio que mis dedos pasaban sobre su piel, sin apenas rozarla. Sonrió, y esperó a que lentamente mis manos subiesen por el aire siguiendo sus muslos. Y cuando quedaron debajo de su boca, flameantes y suplicantes, Rosa sopló pidiendo un deseo y en tono de cumpleaños dijo: "chico malo". Y fue así como por fin, alegre y confuso, hice desesperadamente el amor con Rosa. Una, dos, tres veces. Hasta creí por momentos que Rosa se entregaba a mí, como sólo lo hubiese hecho con un ser imaginario. Extraño ese desbordar.

—¿Pablo, qué olés?

Rosa me había dejado una docena de besos en el hombro. De esos de tallo largo, que permanecen sin abrir un rato largo. Quería contestarle, por lo tanto, que estaba oliéndola a ella. Quería decírselo con palabras frescas, recién cortadas, pero no me salía nada. Al rato, y quizás aburrida de esperar, agregó:

—¿Cómo pudiste saber si no sabías?

Rosa no se refería a mi oficio de amante mamífero, si no a mi instinto por unir, conservar y perseguir personas y desperdicios. No contesté. Tenía mi espalda tibia a pesar del piso helado de la cocina. Nos habíamos cubierto con un mantel de algodón y disfrutábamos de usarnos mutuamente de almohada. Estaba tan relajado que no quería más confesiones, pero se notaba que Rosa en cambio, buscaba hablarme de Olga.

—Si querés, Pablo, yo puedo pedirle a la señora Stein que te dibuje el polígrafo.

Era evidente que Rosa hacía esfuerzos por salir de lo que segundos atrás, refiriéndose a la infinitud de mis piernas y brazos, había bautizado como: "el laberinto de las alturas". Y cuando lo lograba, y estaba nuevamente reorientada en la peligrosa cotidianeidad de los hechos, buscaba cumplir con el mandato femenino de protegerme.

—Pablo, ¿me escuchás? Hasta podría tratar que la señora Stein te conozca, y le puedas preguntar directamente a ella lo que quieras.

¿Hablar con la señora Stein? ¿Con Olga? ¿Con la vieja del polígrafo? ¿Ya? ¿Ahora?... Divina, Rosa, pero en ese momento sus palabras fueron como las de un vendedor ambulante que te ofrece tantas veces, pero tantas, lo que más querés, que ya no sabés si lo deseás o no. Rosa siguió:

—No necesitás tener los disquettes. Tenés que pensar que si alguien te los llevó puede ser peligroso que los sigas buscando. ¿Vos estás seguro de que no te siguieron?

La escuché y pensé: "la basura tiene su propio peso. No importa cómo uno la acomode, siempre se desmorona". Si no necesitaba los disquettes, mi gorda cafetera, mi querida Rita Cantoni, había muerto al pepe. No estaba descubriendo la pólvora, había muertes y vidas en vano, pero luché contra ese ríspido razonamiento, masticando suavemente mi respuesta sobre los pezones de Rosa. Y fue en ese delicioso momento, de provechosa placidez, que me di cuenta de mi tardía dentición de la vida. ¡Oh, Zeus! Los deseos que había olvidado vinieron todos a la vez, y dejé de succionarlos recién cuando Rosa dijo: "¡ay! duele". Perdón, perdón, perdón... Me di vuelta, miré por debajo del mantel, y dejé que fuesen esta vez mis ojos los que devorasen todo a su paso. Rosa tenía más vello púbico que Mariela, también tenía más marcadas la cadera y la cintura.

Estaba como más diagramada, si eso sirviese como explicación de mi azorada confirmación de su materialidad. Claro que Mariela tenía diecisiete cuando murió. Me puso triste no saber cómo hubiese crecido su cuerpo.

"Vos, Rosa, ¿no te vas a matar, no?". Por supuesto esa fue una frase que no dije. Sólo la pensé. Malditos pensamientos, otra vez fuera de mí. Algunos reptaron por la pared y lograron escapar ateridos, escurriendo su gran cola por el techo. ¡Bestias!

—¿Qué te quedaste viendo, Pablo?

—Una iguana mesozoica.

—¿Es verde? —preguntó Rosa, como si lo que yo hubiese dicho fuese una broma.

—Sí —contesté yo sin corregirla.

Y fascinado de hacerle creer a Rosa que yo estaba inventando cualquier verdura, agregué al supuesto chiste lo que en realidad estaba sucediendo: "es verde, y se te queda mirando con ojos saltones".

Rosa rió, se levantó, se volvió a vestir, hizo té, y después me llevó hasta la sala de notebook donde tenía trabajo urgente atrasado. Esto último creo que fue una excusa para seguir con su deber de buena mina:

—Pablo, y ahora, ¿dónde estás viviendo?

¿Alguna vez me llamaría amor? ¿Siempre me dejaría saber que tenía unos años más que yo? Rosa tenía sobre sus mesas de trabajo varios textos para zurcir, pero uno especialmente me llamó la atención.

—¿Éste también te lo trajo la señora Stein?

—A ver, dejame ver. Sí, típico de ella.

—¿Sabés que lo que está escrito aquí se parece a mis sueños? Por ahí te puedo ayudar.

No sé por qué después de hacer el amor, los hombres siempre queremos ser útiles en algo. De todas formas insistí:

—¿Querés que intente rehacerlo yo? ¿Qué le falta?

—Leelo en voz alta y te das cuenta —dijo Rosa con suficiencia.

Leí: "*¿Acaso usted no tomó nunca whisky? —dijo el hombre maravillado de tener por primera vez un indígena de la selva en su casa de la ciudad—. No tomé pero escuché cómo se hacía —contestó el índígena. Y acto seguido el indígena contó que su abuela había visto que el wisky se hacía con los estambres fermentados de la flor de los pimientos verdes. El hombre eructó una carcajada, pero tuvo que controlarse ya que la historia no había terminado. El indígena siguió diciendo, que para obtener de una planta la mayor cantidad posible de pimientos, le dejaban de dar agua apenas florecía. La planta sedienta y deshidratada, presintiendo la cercanía de su muerte, se apuraba así a dar frutos antes de su fin.*

El hombre miró cómo el indígena dejaba el vaso de whisky sin haber bebido apenas un sorbo y decía: —Yo no puedo beber una bebida tan cruel. Nada puede justificar hacer sufrir una flor, aunque sea la flor de un pobre pimiento verde."

—¿Y?... ¿te diste cuenta qué falta? —dijo Rosa.

—Sí, creo que falta aclarar que el hombre es Bardo.

—No sé quién es Bardo.

—Bardo es el nombre de mi padre cuando sueño.

—No, Pablo, creo que no falta eso.

—Mirá, la flor torturada creo es mi madre biológica, y si te falta saber el nombre de la tribu del indígena, no busques más, no es un indígena, es un monje. Soñé varias veces con monjes...

Rosa me miró escandalizada. Creo que no podía entender cómo había sido capaz de pretender acomodar mi realidad de manera tan despectiva con los otros. Al segundo dijo:

—Pablo, no se trata de lo que te falta a vos, si no de lo que le falta al texto.

—Y... ¿qué es entonces?

—Falta saber quién es la abuela. La abuela es la testigo directa.

—¿Y por qué dijiste que este texto es típico de los que trae la Señora Stein?

—Porque está buscando a su nieto.

—¿Y así lo va encontrar?

—Ella recoge todo lo que sobrevive de la crueldad.

Rosa se metió para adentro, como aspirada por la fuerza de una semilla autoexistente. No parecía que minutos atrás la mañana nos hubiese unido como energúmenos. Parecía que sólo importaba analizar mi mezquina interpretación de ese escrito. "A veces las palabras obturan", pensé, y me quedé mirándola en silencio mientras tomaba su té. Daba un pequeño sorbo, no levantaba la vista, daba otro pequeño sorbo y volvía a ni siquiera pestañar... Era una verdadera profesional de la telepatía. No necesitaba de nada más para tratarme de egocéntrico. Yo entonces daba vuelta la cabeza hacia un costado decidido a no mirar nada. Y lo hubiese logrado bastante bien, si no hubiese sido que me tocó presenciar cómo un copo de luz pasaba por delante nuestro y sin ningún apuro se iba a encoger en el bisel espejado de la computadora. Recuerdo que el copo quedó ahí, tiritando con chuchos de frío un rato largo, y luego partió hacia la oscuridad que desmenuzaba el cuarto. Pensé en ese momento que era raro que Rosa, gustándole tanto las plantas, tuviese en ese sitio sólo luz artificial. Se lo pregunté:

—¿Por qué no pusiste una ventana? Apenas se sabe si es de día o de noche.

Rosa apoyó la taza de té, y resignada en su deseo de cambiarme, se acercó a mí. Se sentó sobre mis piernas, buscó el ángulo justo de mis lagrimales, y dejó caer sobre cada uno de ellos, un beso. "Hay estados intermedios", dijo después, y suspiró acariciándome el pelo. Luego habló de que todos sus remiendos y zurcidos de textos estaban arrancados de la muerte, y que llamar artificial a la luz de ese cuarto, era tan poco sustancioso como concepto, como llamar artificial a la luz de una incubadora.

—A veces digo pavadas, ¿no?

—Yo también, Pablo, antes era más inteligente.

—¡Huy, huy, huy!... ¿la doctora se está diciendo pavota?

—¿Doctora?

—¿Licenciada?

—¡Boludo!

Recuerdo este diálogo risueño, como solamente posible dentro de los mimos que Rosa le hacía a mi pelo. ¿Me habría perdonado?

—Lo tenés largo, me gusta. Parece más rubio.

—¿Por qué viniste a verme al hospital si no me conocías en realidad?

Era una pregunta seca que venía de otro lado, tirada exactamente de los pelos, pero a Rosa no pareció sorprenderle y con mucha lucidez me contestó:

—En realidad, me habías dejado un zapato. ¿Te acordás, Pablo?

—Sí, pero no era mío.

—Sí, pero... este no es el cuento de la Cenicienta.

Con un gran, gran esfuerzo, entendí que lo que me estaba diciendo Rosa, es que cuando uno empieza a recoger los pedazos tirados de su vida, empieza recoger los de todos. Y ya no tiene importancia cuál es el de uno, y cuál es de los otros. Ni si este es mi sueño o el tuyo. Es simplemente como un hábito de responsabilidad... ¿Sería esto lo que uniría la tarea de Rosa con la de las hermanas hormiga? ¿Cómo pude pensar que hubiese sido su voz la que estaba en el contestador de Juan? Tuve ganas de irme.

—Rosa, ¿por qué dijiste que antes eras más inteligente?

—Era más confusa pero más precisa, creo que por eso te lo dije. Ahora gané claridad pero perdí otras cosas. No sé si el orden alguna vez me ayudó a encontrar algo…

—Yo creo que encontré el diario del médico que te atendió cuando eras chica. ¿Lo querés?

—No sé de qué me estás hablando.

—Si te dijera que encontré tirado en la basura el diario del psicoanalista que te salvó, ¿lo querrías?

—No me salvó, me creyó.

—Es el que cuenta del chico que te enseñó a leer lo que escribe el viento en el pasto, y...

—Sí, sí, ¡ya sé!

—¿Y entonces? ¿No te gustaría ver las letras, la tinta, de ese papel?

—Sí, y no. Sería como volver a leer: "estuvo loca, pero ahora está cuerda", y eso es lo que siempre quise evitar decir. ¿Ves que es muy difícil zurcir? Tenés que encontrar el mismo color de mecha, si no puede ser todo muy burdo. ¿No te pasa a vos?

No contesté nada, pero pensé: "crecí débil". Ser aplicado me obligó a ver las cosas del mismo modo con el que el mundo me premiaba. Creo que en cada premio que recibí, siempre sentí que una parte mía se iba a la basura. Recién ahora me doy cuenta. Un premio muchas veces fue como una manzana a la que le habían quitado la cáscara aun sabiendo que en ella estaban las vitaminas. Cuando algo molesta se tira, no importa lo valioso que contenga. O sea que lo que en realidad te están premiando es el disciplinado acto de beberte el vaso de whisky y mandar al indígena al carajo. Te están premiando por no decir no, y por olvidar cualquier historia. Danger. Danger. ¡Pablo! ¿Cómo mierda es que se vive del otro lado? Insistí. No podía ser que Rosa no quisiera ese papel.

—Pero si es tuyo, habla sobre vos, yo lo encontré. No sabía nada, y ahora, sé todo. ¿Para qué lo guardé si ahora no lo querés?

Rosa se levantó de mis piernas y dijo que aunque hablase de ella, no era necesariamente de ella, y que había una gran diferencia. También dijo que era más importante que lo tuviesen otros y que se lo podía dar a ese chico que había preguntado por mí, el otro día.

—¿A Bowling?

—¿Se llama así? Es un dulce, pobrecito.

—¿Por qué pobrecito? Él sí es inteligente.

—Sí, sí... ¡seguro! A mí, ves Pablo, me gustaría volver a ser como él.

—A mí también.

—¿Cuánto tiempo le queda?

—¿De qué?

—De vida.

"Yo exploto los relojes, no me llevo bien con el tiempo..." Aparecieron esta frase y muchas más, todas encimadas entre sí. Me había creído lo de "alopecía prematura", no le había dado importancia a nada. ¡Joda! Otra vez era Bowling el que me descubría estando en el polo.

—Pablo, y ahora, ¿dónde estás viviendo?

—¿Ya me habías preguntado eso, no?

—Sí, pero hoy parece ser un día en que olvidás las preguntas.

—¿Y acaso no puedo?

—Sí, pero olvidar la pregunta sería como olvidarme a mí.

Rosa estaba como si todas las cosas que pasaron desde que toqué el timbre esa mañana, la hubiesen llevado a algún borde salino de su vida. ¿Sería eso la melancolía?

"Hoy no pusiste música", dije antes de irme, y la besé dejándole en la lengua dos micronésimos, casi indetectables, terrones de azúcar.

El complot

Cuando salí de la casa de Rosa, era aún temprano para buscar a Bowling en el colegio, así que fui a ver a quien hasta hacía muy poco podía llamar decorativamente..."madre". La verdad no había cambiado nada: seguía odiándola, aunque quizás, claro, con menos culpa. Recordé la analogía de las medialunas: ¿debería llamarla madre de confitería, o vieja de confitería? Entré entusiasmado al edificio, sabiendo que la última opción sería para ella mucho más horrorosa. Luego, como para mantener el ritual, saludé al portero y recién en el ascensor me di cuenta de que si me estaban buscando, no había sido una buena idea estar ahí.

Al llegar al 4to."D", la empleada me hizo pasar directo al cuarto principal. "La señora se está terminando de arreglar", dijo con ensayada amabilidad, y me sentó en la banqueta bordada en petit point, casi de prepo. A los segundos vino mi madre:

—Hola, hijo, el portero avisó que subías, hijo.

Se había rellenado las arrugas con acrílico y parecía un muppet o una de esas locutoras de noticiero que hablan sin mover jamás las comisuras ni la frente. Estaba batiéndose el pelo, y era repulsivo verla. Tomaba uno a uno cada mechón, y lo raspaba con el peine hasta llevarlo a punto de nieve. Y cuando toda su cabeza era un merengue amarillo, lo terminaba de alisar con un cepillo espatulado y lo espolvoreaba con spray. ¿Se habría llevado ella los disquettes de Rita? Si Rosa me presentaba a Olga, ya no los necesitaba, pero estaba aprendiendo a hacer cosas que no sirvan, como si el sentido de esas cosas no estuviese en absoluto en su utilidad. Pregunté:

—¿Sabías que me fui del hospital? (Pregunta inútil 1)

—Juan me dijo. Ahora ya no nos van a tratar igual. Tu padre está furioso.

—¿Vos sabés, que... yo-ya-sé? (Pregunta inútil 2)

—Yo no.... No sé.

—¿Vos te llevaste los disquettes que tenía en mi mochila? (Pregunta inútil 3)

—.........................

—¿No me escuchaste? (Pregunta inútil 4)

—.........................

—Tenés cara de mono. ¿Sabés que sos fea? (Pregunta inútil 5)

—.........................

—Mi madre era linda. ¿Sabías que era muy linda?

Me había ido acercando al tocador donde ella permanecía peinándose. La última pregunta se la había hecho con malicia, casi mirándola de frente, y estaba convencido que sería una "pregunta inútil 6", cuando la mujer de pelo patito se abalanzó contra el espejo, y de un solo e histérico golpe de puño, lo hizo añicos. "¡Tu padre!", dijo, y sin tomar aire se abalanzó esta vez contra mí, queriéndome clavar el mango del cepillo dentro de un ojo.

—¡Pará, que eso lastima! —dije.

—Es que yo, Pablo, ya no doy más. ¡Más!

—Mirá, yo...

—No me interrumpás, ¡más! Vos: ¡vooos! Tu padre te dejó estudiar eso que querías. Se lo prometió y cumplió, pero no... ¡no más! ¡No!

—¿A quién le prometió?

—Baaasta, Pablo, ¡basta! Esa tipa... ¡no!

—¿Se lo prometió a mi madre?

—Esa no estaba en condiciones de exigir nada. Pero tu padre se engatusó.

—Mi padre cumplió con mi madre, ¿qué cosa?

—No había ninguna necesidad. ¿Sabés?, ellos estaban de acuerdo conmigo, pero tu padre no. ¡No! Él hablaba del honor, pero era otra cosa, ¡otra!

—¿Cumplió que yo siguiera la carrera que quisiese? ¿La que se me diera la gana? ¿Eso le prometió a mi madre? Pero Juan estudió lo mismo que yo. ¿Qué tiene que ver?

—Los otros no te iban a dejar solo. ¡No! Tenían que vigilarte. No se te podía dejar ser cualquier cosa, y yo los ayudé. ¡Yo!

—Pará, los ayudaste… ¿a qué? A que yo no sea…

—Igual que ésa, como ésa... ¡no!

No dejaba de gritarme ni de sostener el mango filoso del cepillo sobre mis ojos. Se notaba que lo único que la detenía para no arrancármelos era que, en realidad, quería sacar a los dos juntos y al mismo tiempo, y no sabía cómo hacerlo. Tal era su odio por ese parecido físico con mi verdadera madre. Nunca la había visto tan desencajada. Su boca olía a hiato y a pegamento para dientes. Una aromática mezcla de jugo gástrico y menta artificial, que subía y bajaba por su tráquea, mientras las mejillas, sin movérseles un músculo, crujían y se cuarteaban haciendo un extraño ruido. Todo en esa mujer parecía estar momificándose, cuando de repente dijo:

—Tu padre la admiraba. Ésa no abrió la boca, no le sacaron nada, ¡nada! Los puso locos, ¡locos! Tu padre trajo sus poemas. Los tenía que tirar pero los trajo acá, ¡acá! Le cumplió a ella pero a mí ¡no! De ella yo sólo quería su carne. ¡Su carne! Sólo vos y lo otro... ¡no!

—¡¿Qué es lo otro?!

—Creciste, eras tan lindo de chico... No se te notaba nada. Yo tuve que tirar todo. Yo hice muchas cosas, muchas. Los ayudé a ellos, a tu padre ¡no! Yo hice muchas cosas, ¡muchas!

—¡¿Qué hiciste, qué tiraste?!

No me contestó. Había quedado tiesa y tan agarrotada como una res congelada. Pensé que si en ese momento a ella se le hubiera ocurrido hacer pis, se hubiera perforado la vejiga con las astillas de hielo de su propio orín. Miré alrededor. Los fragmentos del espejo que ella había roto al atacarme, habían quedado regados por el broderie del tocador, y cada uno conservaba cuajado un detalle de su peinado de fondant. "Mi madre, esta, se ha decapitado", dije ceremonialmente al ponerla sobre la cama. Luego recordé que lo último que me había dicho era: "Yo hice muchas cosas". Sabía que esa confesión punzante no debía tocarme, y asocié esta certeza a los guantes quirúrgicos de mi padre. "Hice muchas cosas", ¿hasta dónde, vieja chota? Lo malo de que ella no me hubiese querido es que yo tampoco la quise a ella. Claro que una vez mi madre, esta, me había puesto al cuidado de una chica del interior. A ella la quise, gracias. Insistí:

—¿Escuchaste que te dije gracias? Quizás fue un accidente que eligieses esa niñera, pero gracias igual.

Mi madre no contestaba, estaba en un glorioso "controlpausa". La tapé con la colcha de plumetí, y aprovechando que parecía no estar viéndome, inspeccioné en silencio los cajones de las dos mesitas de luz. Había idioteces y seguros imbéciles de todo tipo, hasta había un seguro de asalto y violación vigente por cinco años más. También había notas de agradecimientos, palomitas de tortas de bautizo y confirmaciones de supuestas órdenes o pedidos: "*Estimada señora, por la presente confirmamos la efectivización del ingreso de su hijo, tal como usted lo solicitase a la Fundación, en nota remito del día cuatro.*" Mostrando la nota, pregunté:

—Oíme, ¿vos fuiste la que me mandaste a tomar en el laburo? Pero... ¿Qué eras de esa fundación para qué te dieran tanta bola? ¿De qué fundación me estás hablando? ¿Desde cuándo te interesaron los lingüistas que traducen clásicos?

El poder secreto de mi madre había empezado a desflorar de esos cajones. Ella seguía dura, sin hablarme, y según la empleada que acababa nuevamente de entrar al cuarto, no se veía normal.

—Para mí que le pasa algo a la señora. ¿Traigo algo?

—Sí, puede ser que esté con la presión baja. Tenés razón, traele un café bien cargado.

Me había hecho bien la interrupción de la empleada. Doblé el papel de la supuesta Fundación, tal como lo había a encontrado, y revolví el otro cajón. Al no encontrar más cosas significativas, lo saqué afuera y lo miré por debajo. ¡Pim! bolsita de plástico. "Dólares, okey, no me vienen mal. ¿Y esto?"

—Traje un pocillo grande y está bien cargado, pero yo creo, joven Pablo, que habría que llamar al doctor.

—Sí, llamalo. Dejá ahí el café que yo se lo doy.

Esta vez la interrupción de la empleada era inoportuna porque el "esto" que me había quedado mirando en el cajón, era un disquette. Un único disquette. El que importaba. ¿Lo habría puesto junto con los dólares, realmente para conservarlo, o porque no se había atrevido a tirarlo a la basura? ¿Tendría miedo de que yo lo encontrase? Quizás la basura ya no era un lugar seguro para tirar nada. ¿Habría tirado en el pasado esos poemas de mi verdadera madre? ¿Cómo serían?, ¿los habré leído alguna vez?

Me molestaba que esa mujer pálida no quisiera contestarme. Traté de darle el café, pero de res congelada había pasado a araña petrificada. Tenía sus labios enroscados hacia adentro y sin mucha convicción dije: "abrí la boca, tarada". Noté también que sus pies tenían las uñas nacaradas, pero estaban rígidos, y sin proponérmelo los comparé con los pies de Rosa, los que hasta hacía apenas unas horas, habían caminado y saltado con la alegría de alguien que sabe hacer un buen vino. Apoyé el pocillo en el piso. Algo tenía que hacer. Vi sobre la mesa de luz su clásica agua de nardos, y le friccioné los pies. Claro que la colonia estaba fría y pronto el masaje le amoratió las plantas. "No sé para que hago esto, no se merece nada. No se merece siquiera la burla de sobarla como un autómata". Hablaba, masajeaba y hablaba:

—Oíme, si me decís por qué tenés vos mi disquette, te perdono. ¿Escuchaste? ¡Te perdono! Es una oferta grossa, pero me tenés que dar los detalles. ¿Cómo supiste que yo lo quería, y que era importante para mí ver de nuevo el dibujo de esa vieja? ¿Vos sabés quién es ella? ¿Vos tuviste algo que ver con la muerte de Rita Cantoni?

La "señora" no contestaba. Sus pies a pesar del brutal masaje seguían azules y eran en cambio mis manos las que habían empezado a enfriarse. Decidí parar. Al segundo vino la empleada y sin que terminase de darme cuenta que cada vez que ella entraba estaba más asustada y enojada, dijo:

—Joven Pablo, llamé al doctor y dice que "¡no!" toque nada.

—¿A qué doctor llamaste?

—A su señor padre.

—Pero él está en Tierra del Fuego.

—Vino para acá por su problema.

—¿Y qué dijo?

—Eso, que no toque lo que estaba tocando.

—¿Los pies de la señora?

—No, los cajones. Su padre me preguntó si usted estaba tocando algo de la casa y yo le conté que los cajones.

La empleada me miró como a Judas, tomó el cajón que yo había apoyado sobre la cama, y lo puso nuevamente en su lugar. Se sentó a un costado de su patrona, e intentó darle el café con cucharita. Ese método podía ser bueno y no se me había ocurrido. No tenía sentido que me siguiera quedando. Ya tenía el disquette y mi padre estaba en camino. Hacía siglos que no lo veía en vivo. Creo que no era tanto su imagen como su sonido directo lo que me asustaba. Los sueños no habían tenido su voz. Era yo, el que escuchaba la voz de los otros con mi voz. Ahora sería ensordecedoramente distinto.

—¡Joven Pablo!, ¿no me escucha?, le estoy diciendo que su madre está muerta. ¿Qué hago?

No entendía nada, salvo que tenía que salir por la puerta y llamar el ascensor. No obstante, con la poca lucidez que me quedaba, alcancé a darle a la empleada la respuesta correcta que buscaba:

—Avisale al portero.

"Avisale al portero, piso seis... Avisale al portero, piso diez..." ¿Cómo podía ser que, de un piso cuatro, subiera para bajar? ¡Puta! El alcohol de la muerte me había dejado adormecido.

Tercer Sueño x. Sin número ni serie. (Ya expliqué que es una contradicción.)

Entra al sueño pero quiere salir apurado. Busca la escalera o el ascensor. Sí, mejor el ascensor. " ¡Vamos yo, de prisa yo!". Se da vuelta y se le cae un zapato. Se detiene. Dice: "¿cómo me voy a ir de un sueño estando descalzo?". Se lo quiere poner pero el zapato no le entra. Lo mira. Tiene dos piedras. Una tiene un pedazo de mica, que a su vez al acercarla a su cara, tiene claramente un pedazo de lágrimas. Dice: " es extraña la forma que tienen los sueños para mostrarnos que estamos llorando". Huye. No tiene tiempo, pero si pudiera volver miraría la otra piedra. Siempre hay otra piedra. Alguien habla, él escucha: "Hay zonas de tu libertad, que sólo las llagas pueden tocar. ¡Traiciona tu miedo!"

La duermevela es una cagada, no sirve para nada. Abrís los ojos y antes de que cante un gallo, lo primero que te das cuenta es de que tu sueño mintió. Es como una anestesia local, es mentira que no duela. Llagas, llagas, ¿quién tenía llagas? Mi madre verdadera tenía llagas. Recuerdo haber soñado que un perro negro se las lamía. Yo no tengo llagas. Nunca caminé con piedras en los zapatos.

¡Bien: planta baja! A la salida del edificio, la presencia de un carro de policía me llevó rápidamente a la boca del subte. Miré la hora. Todavía Bowling estaría en clases. Lástima, quería contarle que había muerto de verdad mi madre de mentira.

¿Dónde voy, dónde voy, dónde voy? En la cuarta estación, se sentó al lado mío un cura. Le pregunté: "padre, usted sabe dónde queda la quema?". No sabía, pero igual pude llegar.

Era un lugar, sin lugar. Desde lo alto del montículo que lo señalaba, se lo veía como una especie de inconmensurable desierto gris. Antes de entrar, y por si acaso, me persigné con el olor aún presente de Rosa sobre mi cuerpo, y tantée en mi bolsillo izquierdo el disquette de Rita. Eran mis dos más queridas posesiones y tenerlas me daría valor. Empecé así a bajar por una suave pendiente de basura seca por la que corría un extraño viento. Recuerdo que no era un viento liso, sino que soplaba en pequeños filamentos orgánicos. Un poco calientes, un poco pringosos... Pensé que tal vez todo esto tenía que ver con el descenso al mundo catávico. Una boludez. Seguí avanzando, y a los pocos pasos un colchón crocante de restos de pan, me avisó de la presencia de unos pájaros negros. Eran tan negros y grandes que parecían haber nacido del plástico mismo de las bolsas para consorcio. Me apuré a pasarlos. Algunos gritones que sobrevolaban sueltos alcanzaron a rozarme la cabeza en un gesto confuso que no me dejó, siquiera, sentir asco con claridad. Otros, aunque me sonó muy raro, parecían estar llevándose un poco de sol en el buche, como si el sol se hubiese muerto y lo estuviesen atacando a picotazos. Cuando finalmente logré dejarlos atrás, quedé en penumbras y solo. Me preocupaba la oscuridad, pero no escuchar los graznidos era tranquilizador. El silencio era tranquilizador. Seguí avanzando. La consistencia del suelo había cambiado. Ya no era de costras de pan, pero no podía ver bien de qué era. Sólo divisaba que a pocos metros comenzaba un llano más claro. Hasta llegar allá había que tener cuidado especialmente con las latas cortantes. No quise pensar en las ratas. No hacía falta; sabía que ellas también tenían miedo a ese estado agrio de la basura. Nadie había puesto formol a nada, y las dunas de residuos se agusanaban y ablandaban peligrosamente a medida que avanzaba. Algunas que estaban más lejos echaban una que otra llama. Quizás su grado de descomposición fuese tan alto que podían combustionar espontáneamente. No lo sé. Deseaba poder encontrar una zona de basura dura e impenetrable. Así no sabía si continuar o mantenerme en los bordes, donde todavía había restos de armarios y estufas rotas, cosas de qué agarrarse... A veces, sospechaba que avanzar hacia el interior de ese desierto mohoso era meterse dentro de una gigantesca flor carnívora. Era difícil superar la succión de esa imagen y la densidad sofocante de la atmósfera que ella misma despertaba. De vez en cuando, por eso, metía la nariz dentro de mi camiseta y aspiraba el oxigenante perfume de Rosa. Pero en el tercer viaje hacia esa respiración artificial, comprobé que ya era tarde, y que el olor de la quema ya se había impregnado en mi piel. Seguir no tenía sentido. Salvo que este fuese uno de los pocos sitios que quedasen en el mundo, para ser un hombre de honor. ¡Qué horror!, volvía a los griegos. Miré hacia el horizonte y me puse a hablar solo:

—¿Viniste para pensar? Aquí se puede pensar.

No me contesté nada. Lo que menos quería era darme cuerda. Me senté sobre una especie de bañadera destartalada y esperé que mi yo hablante se fuera. Para mi suerte era un yo raro que por momentos sabía quedar callado. Un, dos, tres minutos largos sin decirnos nada. Cuando me levanté, dado su buen comportamiento, decidí que podíamos caminar juntos. Lo observé. Tenía muy buena vista pero muy malas articulaciones ya que cada vez que se agachaba para agarrar algo, parecía deshacerse como una larga y fina sombra en polvo. En general recogía cosas interesantes: galletas de lana rosa, viruta de plástico naranja... La basura que levantaba era basura alegre. Ese yo era un extraño.

—¿Siempre fuiste así? —me pregunté.

—Siempre —me contesté.

La respuesta me desconcertó. Era ambigua y a la vez exacta. Podía ser mía o del desierto, si desierto fuese la categoría correcta para este sin fin de cosas heterogéneas. Nada era igual a nada. Hasta mi yo era distinto a mí y sin embargo me reflejaba. Seguí avanzando. Estaba en paz y tan distraído como puede estarse viajando en una cinta de Moebius. Luego tomé conciencia de que si seguía sin saltar los charcos de ácido, las suelas se me iban a carcomer y se me iban a llagar los pies. " Llagas", esa palabra me despellejaba. Llagas era preguntarle a Bowling si estaba enfermo. Era muchas cosas...

Miré a mi alrededor. Por suerte había llegado nuevamente a una zona seca. El suelo era de huesos y sobre él deambulaban unos pocos perros viejos con las patas increíblemente arqueadas. Pude preguntarme por qué las tendrían tan vencidas, pero sabía que ni aún dos yo, pueden responder lo que no se sabe. Con esa ignorancia, los miré por segunda vez. Olfateaban y huaqueaban todo, excepto a mí. Podían pasar a mi costado y hasta cruzarse en medio de mis piernas y no darse cuenta de mi existencia. Sólo la traspasaban. Creo que ese día, sólo la memoria era el alimento que preferían los perros. Quise regresar. Entre tanto viento y polvo, no se veía nada. Pensé: "algo voy a perder, algo no va a estar, falta algo, yo lo tenía, no sé dónde está". Decididamente antes de meterme dentro de la quema debí preguntarle a alguien cómo se hacía para volver. No tuve más remedio que dejarme guiar por el sonido demencial de las máquinas.

—Pibe, si no te corrés, del metro noventa que debés medir, ¡no te van a quedar ni diez centímetros!

El tipo que manejaba la enorme compactadora de basura dijo eso, o más o menos eso, ya que el ruido era tan atroz que la mitad de las palabras había que adivinarlas.

—¿Qué hacés acá, no ves que vas ??????????? a ????? ????? escuchaste?

—Vine a un velorio.

—¿Qué, queeeé?

—Que estoy de duelo pero no sé de quién.

"Ah, bueno", dijo el tipo sin haber oído un pomo, y con unas señas extrañas me mandó detrás de unos fardos de residuos compactados. Desde ahí vi el maravilloso espectáculo de miles de papeles volando. A medida que la compactadora avanzaba, las hojas de periódico se despegaban del suelo y como expedidas por la misma fuerza de la máquina, se arremolinaban y tomaban altura hasta niveles increíbles. Era sublime y escalofriante. Me puse a reír porque ni siquiera yo podía escucharme. Reí porque quería estar con Bowling y no sabía qué hora era. Reí porque estaba nervioso. Temeroso de llegar tarde a lo único bueno que podía hacer por alguien. No podía perdonarme de haber perdido tanto tiempo.

Me rodeaban hojas y cartulinas, manuscritos e impresos. Blancos, celestes, rayados y lisos... Ninguno de esos papeles huyendo en parapente se salvarían. Entendí que lo primero que haría al ver a las hermanas hormiga, sería ponerme de rodillas y suplicarles que por favor me dijeran qué era lo que tenían las bolsas de basura que se mueven.

¡Oh!, ¡oh! La rueda delantera de la compactadora había quedado atascada en un lodazal de papel maché. El tipo apagó el motor, y la falta inmediata de ruido descubrió en mi cara el espanto. Viéndola, dijo:

—Che, si necesitás pedir ayuda, pagales el teléfono a "los comidos".

—¿Comidos? ¿Quién se los comió?

—¿Cómo que quién ? ¿Vos no sabés el cacho de cerebro que te morfa esa mierda?

El tipo había bajado de la compactadora y se había puesto a revisar la rueda. Tenía una masa muy abultada de pelo, y la sujetaba con una de esas redecillas con que vienen envueltas las papas. Me acerqué dos pasos. A esa distancia pude comprobar lo verdosas que eran las pústulas de su cara. Dejé que hablara y aunque no agregó muchas más cosas, me quedaba claro que "los comidos" eran una especie subdegradada de chicos que tenían parte de sus neuronas corroídas por pegamentos, o por lo que sea. Según el tipo, nunca estaban del todo sucios, ni del todo mal vestidos, y tampoco parecían del todo tarados. Él decía que se notaba que por lo menos una vez a la semana tenían contacto con alguien que se ocupaba de ellos. Nada muy cerrado, así que pregunté:

—Pero, ¿no son peligrosos?

—No, no hacen nada. Lo que sí no hay que tocarlos. Están con las porquerías esas que traen de las morgues, y mejor no... ¿me entendés?

Iba a contestar que no, cuando empezó a señalarme una decena de cabecitas de color azul fosforescente que se recortaban, quisquillosas, entre el hollín y una gran duna de ceniza, a unos cien metros de nosotros.

—Oiga, ¿son azules? —pregunté.

—Pero... ¿vos qué fumás? Es la luz de ahí. Si ya te dije que están con los muertos, ¿vos de qué color creés que son los muertos? ¿Rosaditos?

—No, no sé nada; disculpe, maestro.

"Maestro" se nota que le sonó a cargada porque me tiró una piedra enorme gritándome: ¡rajá, maricón! Quizás él era como el cartonero que me hubiese tocado, si de chico, como me sugiriera Bowling, hubiese venido aquí para llevarme las cartas de Papá Noel. Me sentí humillado. El regreso lo tuve que hacer corriendo y con la piedra en la mano por si acaso salía algún otro maniático a atacarme.

Correr por el desierto de la quema significaba caerse, de tanto en tanto, sobre un alambre oxidado o una mancha de aceite. También significaba tener los ojos abiertos pero no mostrarle a nadie la mirada, y estar tan cansado que llegaba un momento en que el cuerpo creía que se estaba vaciando y estaba siendo llevado por la tierra. Significaba tener la lengua pesada sobresaliendo por la nuca, y colgar del cielo sostenido apenas por un hilo fino atado en la mollera. Correr era detenerse en algún momento, abrir la mano y ver la piedra. ¡Mierda!, el tipo me había tirado una bola de chicles que se habían ido endureciendo como una roca. Pensar que yo la había estrujado en mi mano y ella tenía salivas de todo tipo. La tiré con furia. ¡¿Cómo me va a tirar con una piedra falsa?! Por ella me había ido y no había seguido avanzando. Pensé que no había llegado a ver claramente a esos chicos. Pensé que uno nunca llega, que uno siempre regresa, y uno nunca vuelve. Que los puntos de partida y de llegada son ilusorios. Deseé, entonces, soñar de cualquier manera y a cualquier costo, ¡ya!, ahora. Pero no me animaba a sentarme en ningún lado, y mucho menos a acostarme. Especulé: "si yo fuese un hombre árbol, podría dormirme de pie". Por supuesto, ésa era la resonancia del barrendero que no usaba pala y que se parecía más a una corteza viviente que a un ser humano. Pensé que desde ese día en adelante, debía seleccionar más la gente que recordaba. Creí que realmente estaba en peligro de no tener lugar para tanta gente dentro mío, y quise despojarme de todo. Me estaba pareciendo a los perros, no aguantaba tanto peso. Tenía la sensación de que el desierto se había expandido como un globo, y caminé derecho, como si el caminar siguiendo una regla me protegiese de no perderme. Adelantaba primero los pies y luego el resto de la columna, bien alineada e imbécilmente estirada. Lo hice diez o quince veces, pero nunca fui un buen actor y me detuve. "¡Pido mancha!", dije, y decidí agacharme, cerrar los ojos y recoger lo primero que encontrase.

Era el alcohólico que vuelve a tomar un trago. El adicto que vuelve a inyectarse. Era yo, el antiguo analizador de basura, que volvía por su galleta china de la suerte. Me encontré así sujetando en mi mano un formulario que hablaba de la seguridad entre los vecinos. "¡Qué boludo, recogí un volante!", dije aliviado. Pero luego observé que en el papel había que completar datos simples, como: nombre, apellido, hijo de fulanito y sutanita, nacido en, domiciliado en... ¡Una delicia de formulario! Faltaba que me preguntasen si mi madre había muerto en mi parto por asfixia seca o por inmersión. Era un formulario que de alguna manera me avisaba que para los demás, desde ahora en adelante, yo daría tanto miedo como uno de esos pibitos de cabeza azul. Y que no sería yo solamente el que elegiría a la gente, sino que habría mucha más gente que la que yo imaginaba que huiría de mí. Yo también era un chico comido. Grande y recién sacado del freezer, pero comido. En definitiva, un hallazgo.

Estaba eufórico. Tenía que ir a buscar a Bowling. Supuse que a él le encantaría verme enojado y hablando así de mí, pero no sabía dónde estaba la salida. Recién lo supe cuando al perseguir un rollo de vendas que rodaba por una de las explanadas de basura nueva, la vi, era ella, la gran ciudad. "¡Nomo diques polis!", dije, y me vendé las manos aunque presentía que todavía no estaba lastimado.

Ensayo

"¡Parecés un boxeador!", dijo Bowling al verme el vendaje. "¡Qué suerte!", pensé. Y sabiendo que pocas veces se repetiría un elogio como ése, me fui desacelerando a medida que el enano guardaba sus útiles en el pupitre. "¿Tu maestra?", pregunté. Bowling me miró como tratándome de idiota y me di cuenta de que estábamos solos en ese enorme colegio. Después de todo no había llegado a tiempo.

—Sabés, Bowling... tuve un día fatal.

—Tomá, te guardé un pan.

Era uno de esos pebetes alargados que dan en el recreo de las cuatro. Bowling me lo había mantenido calentito junto al pecho, y cuando lo tuve en la mano, parecía tener consistencia de gorrión. Lo mordí aunque nunca supe si él me lo había guardado para comer, o para que lo amasase en mis conocidos ataques de angustia. Creo que lo comí porque me daba tiempo para no hablar. Tenía miedo de preguntarle si estaba enfermo. Lo que me había adelantado Rosa me preocupaba y me avergonzaba.

"Mirá", me dijo finalmente Bowling, "aquí me escondo a veces..." Habíamos salido del aula y caminado por una austera galería con techo de hojalata. Bowling me estaba señalando una especie de garage para los carritos de la copa de leche. Un lugar pequeño, muy húmedo, con algunos estantes con cajas y objetos destartalados. Ya no podía más, tenía que hablar...

—¿Y... te escondés seguido?

—Y... antes me escondía cuando me aburría, pero ahora me escondo antes de aburrirme.

Miré bien el lugar. Si se cerraba la puerta quedaba en una penumbra de una belleza casi prohibida. Nos sentamos sobre unas bolsas enormes que contenían no sé qué inventos de telgopor, y charlamos un rato.

—¿Y al final fuiste a lo de Juan? ¿Te devolvió algo? —preguntó Bowling.

—No —contesté yo.

—¿No te animaste?

—Fui a verla a Rosa.

—¿Y?

—Ahí si me animé.

—¿Quée?

—Lo que escuchaste.

Bowling estaba feliz y yo me estaba yendo por la tangente, pero verlo así, disfrutando de mi relato, valía la pena. Así que luego de algunos regodeos sobre mi encuentro amoroso con Rosa, seguí con lo ocurrido al visitar a mi madre.

—¿Caput? ¿En serio la vieja espichó? Y bueno, mejor ¿no?

—Que sé yo, Bowling... No sé nada.

—Pero con tu viejo estuviste flojo. Ahí ves, no te aplaudo.

Bowling había, poco a poco, tomado posesión de la esquina más mullida de su asiento. Tenía las manos debajo de las axilas, como en posición de chucho, y estaba cabeceando. Era tiempo de mi primer avance:

—Che, vos te estás cansando seguido. ¿Te pasa algo?

—¿Por qué?

—No te veo un chico con fuerzas, por así decirlo.

—No tengo fuerzas pero soy fuerte.

Él tenía razon, yo sabía que si en ese momento le ponía delante de los ojos una cuchara, era capaz de doblar el metal con sólo mirarlo. Pero yo lamentablemente hablaba de una fuerza pedestre: para correr, para saltar... Nunca en mi vida había pulseado para obtener la respuesta de algo que me costase tanto preguntar.

—Oíme, Bowling, ¿por qué Nidia y Priscila tienen tantos remedios en el baño? ¿Son tuyos?

—Antes no preguntabas.

—Pero a Rosa bien que le contás.

—¿Estás celoso?

Y ahí Bowling rió, y los dos carritos de leche se zarandearon, y de los estantes se cayeron una bandera hecha en arcilla y otro masacote artesanal no identificable, y cuando todo el lugar parecía convulsionarse con su risa, Bowling paró y yo dije: "vamos, nos esperan Nidia y Priscila". Bowling había logrado cambiar de tema.

Regresamos en tren y nos echamos una siestita. Quizás dos o tres parpadeos con sonido a vías. Quizás sólo el coletazo final al pasar por una estación.

Cuarto sueño x.

Alguien reta a Bardo y el reto se transforma en una fiesta.

Bellos los dos: el del pantalón negro y el del pantalón bordó. Hacen tres o cuatro flexiones en las esquinas y luego saltan al centro del ring. Bardo se hace llamar "el Capitán frío" y la gente aplaude. ¿Por qué es tan simple para ellos creer en la sangre?

Bardo se distrae. Pum. Recibe dos trompadas. Pum. Toca la campana. Su contrincante está feliz, va al rincón y al sentarse se da cuenta de que en cada golpe contra el cuerpo de Bardo se le han ido seccionando las manos y ahora están trozadas y numeradas en un balde de hielo rumbo al hangar. No ha ganado porque no tiene huellas. Sólo está ahí, lejos de sus manos y de lo que fue.

Alguien grita: ¡un médico! y yo me voy porque sé que el médico está en el cuadrilátero. Esa es la trampa.

Al despertar en el tren, el petiso me informaba:

—Pablo, tengo ganas de vomitar.

—Yo también. Aguanto pero la verdad es que el traqueteo a mí me revuelve todo. Vos, ¿cómo es?, digo, ¿podés aguantar?

—Un ring más.

—¿Qué dijiste?

Bowling puso cara de nada, y recordé que al verme en el colegio con las manos vendadas, me había llamado boxeador. Evidentemente yo ya estaba viviendo de imágenes que se construían y destruían en un solo día. Ya no retenía nada del presente y todo era escurridizo. Vivía, soñaba, soñaba, vivía. Hasta mis sueños se habían ido haciendo de digestión rápida.

Miré por la ventanilla. Casas, gentes, árboles... No importaba lo rápido que pusiese el dedo contra el vidrio, ellos se escapaban sin que los pudiese señalar. Todo resbalaba debajo de mi dedo. Todo menos mi angustia. Pesada, espesa y con mal aliento.

—En serio, Pablo, voy a ....

Bowling se agachó y vomitó hacia las vías del tren. Creí que se le iba a caer la gorra e intenté sostenérsela, pero no me dejó. Era muy obvio que yo no sabía qué cuernos hacer, además la cabeza de Bowling y su gorra habían sido hechas para que viviesen juntas, era más lógico en todo caso sostenerle a Bowling la cintura, o las piernas. Pedazos de su cuerpo que no parecían muy convencidos de querer permanecer con él. Me senté, y esperé que terminara de vomitar, luego le ofrecí mi pañuelo y buscar un poco de agua. Sólo quiso el pañuelo.

—¿Por qué es que tiene tus iniciales bordadas? ¿Tenés miedo de que se te vaya a perder?

—Es una costumbre.

—En mi grado hay chicos que le ponen su nombre a los lápices.

—¿Y?

—No, que en un aula está bien. Zafa. Uno encuentra el lápiz que dice Pepe y uno dice: "Mirá, Pepe... aquí está tu lápiz", pero si a vos se te cae el pañuelo aquí en el tren, o yo... ¿ves?, lo saco por fuera de la ventanilla y ¡plin! lo suelto... ¿Te das cuenta? Suelto el pañuelo y suelto tu nombre, se van las dos cosas juntas.

—¿Y si te digo que tengo ese pañuelo por si soy yo, y no el pañuelo, el que se pierde?

—¿Y entonces?

—Y me pierdo, y entonces alguien me recoge y dice: "¡Qué bien!... este debe ser Pablo porque su pañuelo dice Pablo".

—También puede decir: "Mirá este huevón que cree que los nombres se devuelven".

Bowling no tenía piedad, ni con él ni conmigo. Aun después de vomitar y quedar hecho un trapo, se esforzó por convencerme de que tenía que reclamarle a Juan lo que era mío. Dijo que él no podía devolverme un nombre, pero sí los objetos. Y no teniendo mejor idea que usar el pañuelo de ejemplo, lo puso sobre sus rodillas y lo planchó con las manos. Primero lo dobló en cuatro, y luego de un segundo de duda en el que pensó en el espacio que ocuparía, lo dobló en ocho. Ese era un detalle muy de Bowling. El siempre estaba en retirada, como replegándose sobre algún punto de partida imaginario de las cosas.

—Aquí lo tenés —me dijo finalmente—. ¿Sabés para qué te puede servir este pañuelo?

—¿Para soplarme los mocos?

—No, boludo. Te puede servir para mostrar cómo era tu casa. En serio te digo. Vos un día querés decir: mi casa era... Entonces ¡listo!, mostrás el bordado, hacés que toquen la telita, y sufi, ya saben.

Recogí el pañuelo sin estar muy convencido de querer llevar semejante álbum de fotos a cuestas. Lo que sí me quedaba claro era que si bien no me importaba perder el pañuelo, ni muchas de las cosas que se había llevado Juan, también era cierto que no quería perder los papeles, ni los zapatos que había recogido de la basura, y mucho menos el disquette de Rita que aún estaba en mi pantalón. Lo saqué, lo miré, se lo di a Bowling, y le dije que teníamos que cambiar de planes y bajarnos en la próxima estación.

—¿Pero no era que íbamos a ir a lo de Nidia y Priscila?

—Sí, enano, pero antes vamos a lo de Rosa y ahí abro el disquette.

—¿Es éste, no? ¿El famoso?

"¡Guau!", remató Bowling, y devolviéndomelo observó que yo en ese momento me había quedado sosteniendo en una mano el pañuelo del monograma y en la otra el disquette con el polígrafo de Olga. ¿Cuál de los dos guardaría primero? ¿Qué estaba antes? ¿El recuerdo, o la memoria?

Bowling fue púdico y no miró. Se había quedado disfrutando que de pedo nos hubiese tocado el viejo vagón de los asientos tapizados. Había puesto su columna bien apoyada contra el respaldar, e intentaba inútilmente que su nuca calzara con el cilindro mullido de la cabecera. Estaba confirmado: la debilidad de Bowling eran las superficies blandas. Yo ya me había percatado de que un almohadón, o un saco con hombreras gastadas, cualquier cosa suave y redonda... parecían transportarlo al lujurioso mundo del algodón. Creo que buscaba en el afuera la carnosidad que su cuerpo no tenía. También pensé que, para colmo, el pobre estaba rodeado de anatomías espinosas como la de las hermanas hormiga o la mía, y que urgente estaba necesitando una gorda cafetera. Imaginé entonces a mi querida Rita Cantoni sentándose junto a Bowling y dejando que el enano se le recueste sobre sus dos esponjosas y enormes tetas. Primero sobre una, luego sobre la otra. Pero claro, Rita estaba muerta y Bowling tendría que conformarse sólo con mis buenos deseos ferroviarios.

No debía distraerme. Detrás de las ventanilla el mundo seguía en fuga continua, pero en cambio el cuerpo de Bowling parecía haberse quedado suspendido a mitad del camino de algo. Su ropa rápidamente había adquirido una inmóvil luz de plastilina y vestía a Bowling sobre otro cuerpo que parecía no coincidir. Su imagen se había transformado en una de esas pinturas realistas que siempre me habían dado miedo tocar. No sabía qué hacer. Estábamos llegando a la estación, pero Bowling no daba muestras de querer salir de su envoltorio. Algo estaba pasando con la velocidad de las cosas. Esperé con desesperación que alguien gritase por mí. Un guarda pidiendo boletos, una víctima histérica gritando ladrón, el chirrido metálico de la rueda al frenar sobre los huesos de un perro estúpido... Esperé, pero nadie registró la suspensión de Bowling, y el silencio siguió su carril. "¡Vamos!", grité, y Bowling por fin pareció escucharme. Tenía una expresión termosellada, como si un mecanismo extraño hubiese tomado su rostro, y cuando le pregunté qué le había pasado, y por qué se había quedado así, como coagulado, el hijo de puta me contestó: "ensayando, Pablo, estaba ensayando".

Otro idioma

—¡Pablo, Bowling! ¿Qué hacen aquí?

Rosa estaba en camisón y al enano se le iban los ojos. Urgente: queso mantecoso, dulce de membrillo, pan y una bata. Cosas concretas que bajasen los decibeles hormonales. No obstante, pronto descubrimos con Rosa, que la verdadera afición de Bowling de esa noche, no serían las mujeres sino las palabras. Estaba capturado por la sala de notebooks y se interesaba como nadie por el zurcido de textos, especialmente de uno que Rosa había logrado recuperar del forro de un impermeable: *"Los cristales son conducidos a un estado sólido de su existencia. Son imágenes de energía pura, anticipadas en la espera"*.

¿Por qué un chico tendría interés en un párrafo así? Sabía que le gustaba la política, la biología y la filosofía, pero nunca sospeché que pudiese también interesarle la química. En ese momento no quise indagar mucho, y más bien me alegró que estuviese entretenido. Eso me daba tiempo para contarle a Rosa la muerte y embalsamamiento simultáneos de mi madre, y que había encontrado, justo en su mesita de luz, el disquette de Rita Cantoni.

—No sé, Pablo, si tenés idea de lo que se viene...

Rosa estaba tensa con la condensación de noticias que le había dado, pero ahí estaba, incondicional, dispuesta a ayudarme y ver juntos el contenido de lo que tanto misterio había adquirido.

—Nos está pidiendo clave de acceso, ¿la sabés Pablo?

—La que usaba el Centro era "Omega".

—No va, ¿tenés otra?

Me puse nervioso, me sentía torpe. Probamos con Epsilon, Pi y cualquier verdura, hasta que recordé el tema del acertijo. "Homero, probá con Homero". Mi voz había salido patética, como desmagnetizada por la carga de adrenalina que ella misma había liberado.

—¡Bingo!, Pablo, ahí lo tenés. Es todo tuyo.

La pantalla tenía fecha y hora, y el nombre de los cuatro participantes del concurso. Aparecían luego prolijamente editadas las consignas y lo que fuimos trabajando en cada PC.

Estaban el bla bla opiante del profesor de Bruselas, el blanco inicial de nuestra pantalla vacía, y finalmente el dibujo de Olga con su mouse tembloroso y espástico. Repasé las letras en arameo, los vértices que se iban uniendo y las inclinaciones de los ángulos. Estudié los silencios, los lapsos entre trazo y trazo. Medí los tiempos totales y los promedios. Me concentré sólo en el color de la pantalla y en el flujo parpadeante de la imagen, y luego... lloré. Sabía que estaba adiestrado a no poder ver lo que tenía que ver. "Dejame probar con una cosita", dijo Rosa, y volvió al rato con una maceta en la mano.

—¡Fuchi! —exclamó Bowling—. Esta casa me gusta. Primero leen zapatos en el agua y ahora... ¡esto!

Rosa se rió y conectó un heliotropo al bio de la PC. Luego nos explicó que usar las plantas como detectoras de mensajes subliminales, era un viejo método y que no tenía nada de raro. Bowling de caradura asintió:

—Ahora sí puede ser un polígrafo...

El tal heliotropo era una suerte de helecho con electrodos y según Bowling, recordándonos su experiencia en las comisarias, eso era lo que le estaba faltando al dibujo que aparecía en la pantalla.

—No, si le ponés cables, la cosa cambia.

Hablábamos de tres cosas distintas finalmente iguales. Para mí, polígrafo era un grafismo hecho en distintos idiomas, para Rosa era un mensaje invisible que podía ser revelado, y para Bowling polígrafo era un detector de mentiras. ¿Pero quién mentiría? Si era importante la resolución del acertijo que había hecho Olga, ¿por qué no la mataron a ella y en cambio mataron a Rita que es la que tenía el disquette? ¿Qué otra cosa les podía interesar que no estuviese en el polígrafo, y sí en la pantalla? Miré la planta. Poco a poco, se fue haciendo perceptible cómo las hojas iban reaccionando a las variaciones del dibujo de Olga, y cómo a su vez la planta iba haciendo, a través de los electrodos, otro dibujo paralelo. Estábamos los tres embelesados con el arduo trabajo de traductor del heliotropo, cuando sonó el teléfono y Rosa atendió:

—Che, pichona, avisale a las dos parturientas que estamos con visitas y que no podemos atender, pero las espera en cambio el Doctor Terrizano.

Nidia y Priscila habían dejado un mensaje en clave militante. Según Bowling, Terrizano era el abogado de la autopista y las hermanas hormiga acudían a él sólo en casos de extrema urgencia. A los pocos segundos una segunda llamada nos aclaró el panorama.

—Rosa, soy Juan, pasame con Pablo...

—Hola Juan, soy Pablo.

—¡Pelotudo, hijo de puta, conchudo de mierda, mataste a tu vieja, dame el disquette!

No dije: esa no era mi vieja. No dije: yo no maté a nadie. Sólo pregunté: "¿y ahora para quién trabajás?", a lo que Juan respondió: "preguntale a tu viejo". Luego la línea se cortó y nos quedamos sin teléfono. Rosa estaba levantando campamento. Bowling en cambio estudiaba el dibujo que finalmente había terminado de trazar la planta. Miraba el papel y simultáneamente acariciaba con compasión al pobre y exhausto heliotropo. No pude más y pregunté:

—¿Qué pasó? ¿Se ve algo?

—No por ahora —contentó Rosa—, por ahí con más tiempo, pero, si me perdonan... la verdad es que tendrían que irse ya.

Rosa nos fue empujando hacia la salida, molesta de saber que Juan podía buscarnos en su casa. Le puso la campera al enano, a mí me abrochó un botón de la camisa, y ya nos estaba despachando cuando Bowling entregándole el dibujo dijo:

—Yo creo que está en un idioma como el que yo tenía de chico.

Así nos enteramos de que, a los tres o cuatro años, Bowling había creado un idioma llamado "batallón", que consistía en tener una palabra siempre distinta para la misma cosa. Según él, las palabras tenían que cambiar permanentemente. Tenían que caminar hacia atrás e irse al mazo, arrepintiéndose de alguna vez haber pretendido algo. Y agregó: "Por ejemplo, un día se me ocurría que puerta se decía fufi y al siguiente memi, y para mí eso estaba bien porque de todas maneras aunque hubiese dejado la palabra fufi, la puerta nunca iba ser la misma, así que... ¿para qué?" Rosa y yo nos miramos estupefactos. Bowling, de remate, se mandó al toque una analogía con la definición de los cristales. Hice un esfuerzo y la recordé: "son imágenes de energía pura, conducidos a un estado sólido de su existencia ".

—¿Se entiende? —siguió Bowling—, está en otro idioma. El dibujo que hizo la vieja no es la forma.

El dibujo no es la forma, uno, el dibujo no es la forma, dos, el dibujo no es... Rosa se despedía de Bowling, mientras yo repetía la lección imposibilitado en ese momento de tener otro vehículo de curación.

Una vez fuera de la casa de Rosa, me avivé de que Bowling podría haberse quedado perfectamente con ella, ya que en definitiva al que buscaban era a mí. También pensé que eso tendría que habérsele ocurrido a Rosa, y me molestó darme cuenta de esa constante preocupación suya por ocultar dónde vivía. Hasta había sacado de la calle el viejo cartel de zurcidos invisibles por el que podían reconocerla. Claro que el petiso me venía bien para ver a ese tal abogado Terrizano, y quizás, por eso, Nidia y Priscila habían sido tan explícitas sobre las "dos" parturientas que debían ir a verlo. Igual quise liberarlo.

—Oíme, Bowling, si me explicás cómo ir, voy solo. No necesitás acompañarme.

—Y, no, mirá si me agarran para presionarte. Yo entendí que también tenía que hacerme humo.

—¿Pero ustedes cómo saben todo esto?

Bowling se encogió de hombros, y mientras caminábamos hacia ningún lado, se puso a comer una barra de granola que le había dado Rosa. Y he aquí mi duda durante ese trayecto errante: ¿dije o no dije que yo sentía no pertenecer a su mundo, y que era más bien uno de esos híbridos que no son ni chicha ni limonada? ¿Lo dije, o Bowling...?

—No, boludo, adivino no soy, tengo buen oído. Además, si pensás en voz tal alta, ¿qué querés que le haga?, ¿que no escuche "limonada"?

Bowling no había terminado de decir limonada, cuando me avivé de que le había dado pie a otras de sus explicaciones botánicas sobre la vida. Y así fue:

—Terrizano no es lejos, serán como diez cuadras, pero él es como anticuado, si le decís que sos un híbrido se va a asustar. Además limonada no es un buen ejemplo, "musgo" es mejor.

—Gracias Bowling, me siento muy halagado.

—Musgo es buenísimo, vos tendrías que sentirte musgo.

—Sí, sí... Ya me estoy sintiendo. Es facilísimo.

—En serio, gil, no me jodás. ¿Vos sabés cómo se forma el musgo?

—Creo que con una roca y una bacteria, ¿no?

—Eso, pero bueno no importa. Lo que te quiero decir es que juntan un mineral con un animal, y pim!... nace un vegetal. ¿Escuchaste? ¡un vegetal, un cosito verde! Si el musgo se preguntase qué tiene que ver él con una piedra tonta y una bacteria miserable... estaría sonado. Él tiene que inventarse, ¿te das cuenta? Se tiene que inventar y creérselo, porque si no no sería una planta, y las plantas son fenómenas. ¿No te parece?

¡Qué pendejo manipulador de mierda! Bowling no lo mencionó, pero en algo esta sanata se parecía a la que me había dado cuando quiso que me autocreara una tercera madre gitana, así tendría una de verdad, una de mentira no elegida, y otra de mentira sí elegida. Tan elegida que hasta no necesitaría preguntarme si es de verdad. Pero algo no archivaba bien en esa caminata y rebobiné...

—Oime, Bowling, a Rosa también la pueden presionar, o a Nidia, o a Priscila. ¿Ellas corren peligro?

—Terrizano sabe, aguantá un cacho.

Bowling estaba agotado. Sugirió cortar camino por el jardín japonés, y aunque estaba oscuro y a los dos nos daba algo de cuiqui, me pareció que era una forma disimulada de pedirle que descansara.

—Petiso, vení... sentate que tengo ganas de que veamos juntos las carpas.

El enano no tenía la más náufraga idea de lo que era una carpa, y cuando prendí el encendedor, y vió la primera cara naranja saltar hacia nosotros, casi se cae de culo al lago. No dijo un chiste, no preguntó si eran peces o qué, sólo quedó en silencio, casi inmóvil, atento a lo que estaba sucediendo en el agua. Prendí otra vez el encendedor. Las carpas friccionaban sus rojos unas sobre otras, desovando su amorosa crueldad ante nosotros. Bowling miraba a veces el agua, a veces el cielo. Parecía estar preocupado de que las estrellas siguieran tirándose al lago. Definitivamente era peligroso para ellas, no había espacio, las carpas parecían estrangularlas. Algunas lograban no obstante flotar unos segundos sin poder respirar, y después morían en la orilla haciendo un chasquido seco, como sólo lo podían hacer las estrellas. Bowling se había sacado la gorra y sospeché que la utilizaría como bolsa para llevarse algo. Nunca supe qué. Pero ahí estaba el petiso, con su gorrita en la mano, listo para atrapar eso que por momento sólo parecía viento. Un viento parpadeante, escamoso, que volvía siempre al exacto momento en que las carpas se lastiman.

—Vamos, Bowling, está empezando a hacer como algo de frío, ¿no?

La respuesta la tuvo mongo porque Bowling se levantó y siguió su ruta hacia Terrizano, pero no dijo una palabra. Cruzó la avenida cabizbajo, y extrañamente siguió sin ponerse la gorra. La vez pasada ya me había impresionado ver desnuda la calva de Bowling, pero esta vez, más que impresión, era respeto lo que sentía hacia esa piel fina surcada de lo que las luces de los autos hacían aparecer como branquias. Recordé que mi intención había sido hacer descansar a Bowling, pero... ¿de qué cosas debe descansar un chico, cuando su vida, al tiempo que hacía la mímica de seguir desplazándose, se había detenido ya en algún grado extremo de conocimiento sobre lo que aún no había vivido? ¿Alguna vez podría, yo, Pablo, no ser un Siberian, ni un taper ware, sino un musgo? ¿Existe una relación entre presencia y dolor?

—Che, Pablo, llegamos —dijo Bowling—. ¿Me escuchás? llegamos. Hola, hola, planeta tierra, aquí oficina del doctor Terrizano.

Bowling había repentinamente recuperado el habla con humor, y yo, por corresponderle, cuando me preguntó en qué andaba... casi le contesto lo que él me había dicho en el tren: "ensayando, estaba ensayando".

Acusación y defensa

La tal oficina-despacho-dependencia del tal Terrizano, era el emporio de la truchada. Nos recibió una tal secretaria, con un tal folder-legajo-expediente, sellado-lacrado-plastificado, invitándonos a que la siguiésemos. Cosa que hicimos con la normal tomada de aliento de quienes creen que van a tener que hacer una larga travesía por un corredor, cuando en realidad lo que nos esperó fueron dos baldosas, una puerta corrediza, y... ¡welcome to the office! Cuatro metros cuadrados, de los cuales el gran buda Terrizano, ocupaba la mayor parte.

—Bueno, bueno, bueno... Las señoritas Lucarelli ya me pusieron en antecedente y es tarde, así que tomen asiento y vayamos al grano.

Terrizano era gordo por fuera pero no por dentro. A pesar de mi shock por ese mundo de nombres y apellidos verdaderos en medio de una escenografía falsa, me di cuenta de que el tal doc tenía algo increíblemente útil para mí en ese momento: sentido común.

—Edad, ocupación, sexo... "risitas" abstenerse.

El buda era un capo. Grasoso y desaliñado a morir, pero con un dominio de las situaciones asombroso. Después de esa noche terrible, la grosera seguridad de Terrizano para aconsejar cualquier cosa, era lo mejor que nos podía pasar. Además, después de todo, tenía como credenciales haber podido sacar a las hermanas hormiga de la cárcel en épocas duras, y haber logrado que Bowling no fuese a ningún correccional a pesar de que lo habían atrapado in fraganti en su etapa de chico eléctrico lanzador de piedras. Eran antecedentes muy buenos, que jugaban a su favor, pero no sirvieron de nada a la hora en que, a Bowling y a mí, nos vinieron unas ganas terribles de tomarle el pelo.

—Pablo, ¿ésa era su gracia, no? —preguntó Terrizano—. A ver... haga un esfuerzo, concéntrese que esto es extremadamente importante para cualquier negociación. ¿Quién tiene ahora el disquette que le están pidiendo?

Nos miramos tentados con Bowling y al unísono contestamos nerviosamente: "¡Heliotropo!"

—Veamos, esto es a los efectos sólo de mi orientación… Yo ya estoy habituado con ustedes a los nombrecitos, así que no se asusten, pero, díganme… ¿el tal Heliotropo es hombre o mujer?

Así pasaron unos diez minutos más de interrogatorio y risueña terapia, cuando Bowling finalmente se fue al piso y se quedó dormido. Terrizano inmediatamente tuvo el gesto de cubrirlo con una pequeña manta de avión, y como si estuviese justo esperando que Bowling quedase fuera de la conversación, se dio media vuelta y llevándome a un costado y cambiando drásticamente de tono, dijo:

—Ahora sí, pibe. O te me ponés las pilas o sos fiambre. Vos, tu novia, el chiquito, y todos los bellos heliotropos que te rodeen. No hay más lola. ¿O no te bastó la muerte al pepe de la Cantoni?

Fue sorpresivo. El buda sabía que mencionar a mi gorda cafetera era un golpe bajo, pero de todas maneras acudió a él intuyendo que yo era el tipo de cliente que necesitaba un buen mamporro de entrada. Pucho, pucho... ¡me moría por encender un pucho!, pero en esa diminuta oficina no había espacio para tirar el humo. Pensé que quizás no fuese tan fácil despedirme de la sensación de ser una carpa.

El sermón siguió el rumbo del agradecimiento. Según el gordo, yo debería valorar que la gente de la autopista me dé bola, cuando en mi circunstancia, tener un padre biológico milico, lo emputecía todo. También se desvió hacia el hecho de que yo me tenía que definir de qué lado estaba, y qué cosas de las que les interesaban a ellos estaba dispuesto a entregar, y qué no. Claro, que en medio de la cantaleta, Terrizano consideró que quizás fuese muy brusco pedirme que le contestara ya, y que en todo caso hiciera una lista y le conteste en dos horas.

—Tené —dijo—. Acá tenés tu legajo y también papel y birome. Andate al café de la otra cuadra y leete bien todo. Son las diez, a las doce, ojito, volvé. Te aclaro que lo que vas a encontrar de tu padre y su jermu, no lo averigüé esta noche sino que lo tenía de antes, cuando las Lucarelli me hablaron de vos por primera vez. Así que anotá las dudas y preparate que mañana vamos al entierro.

—¿De quién?

—¿De quién va a ser?... De "su" difunta supuesta madre y supuesta víctima, ¡por supuesto! Si te están acusando de que la mataste, vas a dar la cara.

Agarré la carpeta y me di media vuelta molesto por la forma sacrílega en que Terrizano les ponía apellido a las hermanas hormiga, y por la forma irónica en que oscilaba entre tutearme y tratarme de usted. Antes de irme miré a Bowling. ¿Estaría a salvo con este loco del pragmatismo? Me apuré, quería estar de regreso antes que el enano despertara y sientiese que lo había abandonado.

—¿A las doce, abogado? ¿No puede ser antes?

Terrizano ni se molestó en contestar mi torpe ironía, me miró fulminante, y emprendí la retirada abriendo la puerta plegadiza de su despacho. La secretaria ya no estaba, y por lo tanto el hall de entrada disimulaba menos su uso anterior. Paredes de azulejos, ninguna ventana... ¿cómo no me di cuenta al entrar? El chanta se las había rebuscado para tener una oficina cerca de Tribunales, alquilando lo único que podía estar a su alcance: el antiguo incinerador de basura del edificio, conectado al balcón lavadero de la encargada. Recordé la casa de las hermanas hormiga donde las paredes de chatarra estaban amalgamadas con plantas, y pensé que lo que le estaba haciendo falta a la ofi del buda, era un toque de verde.

Legajo

—¿Y lunguito, que vas a pedir ? ¿Café, grapa? Hace como diez minutos que me tenés clavado.

Los diez minutos que me reclamaba el mozo, me asustaron. ¿Tanto tiempo había perdido pensando en una decoración pelotuda de oficina? "Café, grande, doble, cargado". Dije todo a la vez, bien en voz alta, y bien a la jeta del mozo. Quería que supiesen que yo podía muy bien sacudirme de la nieve mental que me cubría y convertirme en lobo como Mariela. Como Mariela cuando la atrapabas con una pregunta tonta, y ella entonces te mostraba sus colmillos haciendo un fuerte gruñido estepario. Es extraño... Tenía en mi mano la intrigante carpeta que me había dado Terrizano con los datos de quiénes y por qué me acusaban, y yo pensaba en Mariela y en la noche anterior a la que puso su cabeza en el microondas. ¿Por qué no me habían acusado entonces, cuando realmente podía ser culpable de no haberme dado cuenta de nada? Recuerdo que una vez Mariela le dijo a alguien que su padre no era psicoanalista sino vendedor de disfraces, y yo me reí porque en mis sueños yo también cambiaba la profesión de mi padre. Era actor, boxeador... cualquier cosa menos lo que era: página uno, folio uno, médico cirujano teniente general.

"Aquí tenés el café, la grapa te la invito yo". Gracias. ¿Dije gracias o fui un bruto con el mozo? ¿Cuántas veces fui bruto? ¿Esa noche?, ¿las anteriores? Bruto y mierda como mi padre, folio dos, párrafo tres: "el médico teniente operaba, según la testigo, en el centro llamado *La Salita*, de la cual ella asegura creer ser la única..." Miré el reloj. Tenía que repartir bien el tiempo. Terrizano me había clipeado una notita manuscrita con todos mis deberes, así que pasé a la jermu de mi padre, o sea, a la que, con mayúscula y entre comillas, el documento hacía referencia como "La Señora". Eran tres páginas registrando su fina extracción castrense, su vocación patricia, y sus acciones mayoritarias en el más sofisticado organismo de inteligencia del cono sur: el centro que buscaba lingüistas. Gente como yo, que tenía que ganar el concurso, y quedar bajo la custodia de alguien como Juan: el chico programado para seguirme, espiarme y traicionarme. Pobre Juan. Yo: el botín valioso, el mita y mita, el experimental... Él: sólo un integrante más de un stock predecible. Otra que una tragedia griega... Me tomé la grapa. Primero un sorbo, luego dos, y luego aparecieron Nidia y Priscila. Se sentaron al lado, y sacándome de la carpeta la lista de Terrizano, dijeron:

—¿Ya decidiste, pichón?

Se referían a si iba a entregar el disquette, como aconsejaba Terrizano, y sobre esa base negociar lo restante. Nidia estaba según sus palabras "descuajeringada", así que le pidió al mozo un té de orégano bien caliente. La "disgustadera" le había traído un prolapso repentino y tenía literalmente los ovarios por el piso. Yo pedí otra grapa, y sin que nos diésemos cuenta, Priscila, oficiando de hermana fuerte, tomó la batuta:

—Oíme, Pablo, aquí tenés que prever que no hay puntada sin hilo. ¿Entendés, mi amor?

Cada vez que aparecían las hermanas hormiga, surgía en el hablar una serie de giros y lógicas barriales absolutamente ajenas a mi naturaleza. Ellas querían convencerme de que yo tenía más para ganar armando un teatro, que yendo a un enfrentamiento directo.

—Mentí, deciles cualquier verdura. Dales lo que quieren, pero sacales datos sobre la Suequita. ¿No ves que en la carpeta que te dio Terrizano, no hay nada de tu madre biológica? Los únicos que pueden tener algo son ellos. Pensálo. Nosotras lo único que te podemos decir, Pablín, es que... primero está la vida.

Pedí otra grapa, tenía que atrasar el reloj, ir más lento, estar solo. Quería que las voces de las hermanas hormiga quedasen lejos, rompiéndose al fondo del bar como una gran piñata. Las observé. ¿Por qué habían venido? Se habían vestido de calle, en una explícita declaración de "por si acaso". Habían traído algo de dinero para mí, y los remedios de Bowling para que "sin falta" los tomara en el desayuno. ¿Por qué no podían desayunar con él? ¿Dónde se quedaría el enano? Las volví a observar. Estaban alteradas como si me escondiesen algo. Nidia derrumbada, Priscila, simulando... ¿Cuántas veces levantaría su propio peso una hormiga? ¿Cuántas y hasta cuándo?

Estaba mareado. Por la ventana del café llovía a cántaros... En la esquina, la boca de tormenta estaba taponada con las bolsas de basura que habían ido bajando en torrentada por la cuadra. Una grapa más y lo vería todo en pausa.

"Si vas al funeral tenés que ir pensando de ir acompañado por alguien". Nidia hablaba, yo bebía. Volteé otra vez hacia la ventana. Quería tener el descanso de mirar hacia fuera de mí, pero era inútil. Sólo llegaba en la mirada, al contorno de las cosas que no veía. Tres, cuatro, o seis bultos negros, ahogándose en la alcantarilla, y estas dos mujeres estrujando sus entuertos a mis espaldas. Me volví hacia ellas. La imagen del bar se había cuajado, y las mesas, sillas y rostros, flotaban en un amarillento suero fisiológico. Priscila había puesto su cara en la mitad del camino entre mi vaso de grapa y mis labios, y por unos segundos quedó así, troquelada en primer plano, diciendo que teníamos que aprovechar a ir al "pipi room" ahí, porque la oficina de Terrizano no tenía baño. Luego su cabeza se fue de cuadro, y toda la luz del bar se descargó de golpe sobre mis ojos. "¿Qué pasa?", pensé. Me había levantado de la mesa y las paredes habían retrocedido tres metros. Un tipo de gafas espejadas parecía estar observándonos. Al verlo, Nidia hizo desaparecer disimuladamente la carpeta, y me pidió que no me detuviera y que de verdad fuese al baño.

El tipo era uno de esos que tapan el café con el platito mientras se ponen a hablar por el celular. (Please —me dije—, que alguien me lleve a mear porque solo no llego). El tipo era uno de esos de campera de cuero corta y anillo de oro pesado en el meñique. (Please —me dije— que alguien me diga dónde puedo vomitar). El tipo era uno de esos, que si querés pispearlos por detrás de los anteojos, te abren enseguida un pozo. Un pozo en medio de cada lente, como para que te caigas bien adentro del vidrio, y aprendas a no mirarlos.

—¡Pablo! Cortala, ya estamos afuera, no pasó nada. Vení, ayudame —dijo Priscila.

Con la lluvia en la cara, y la desvencijada Nidia cruzando la calle a upa mío, entendí que no había sido buena idea ponerme en pedo. Eran casi las doce y todavía faltaba una cuadra para llegar a la oficina de Terrizano. En algunos tramos, el agua nos llegaba a los tobillos, y los huesos se hacían líquidos... Miré a Nidia. No pesaba nada. Era apenas la cascarilla de una persona. Al pasar por las bolsas de basura que seguían obturando el desagüe, abusando de tenerla tan cerca le pregunté muy bajito cómo hacían ellas para darse cuenta cuál bolsa se movía. Y entonces ella, también muy bajito, y abusando de mis copas de grapa, dijo: "nene, todo se mueve, lo único que a veces queda fijo es nuestro pensamiento".

Pablo, por fin, habla con Olga, y Olga da su posición

—¡Pablo! ¡Qué curda!

Ese era Bowling. Ya se había despertado y esperaba ansioso nuestra llegada a la oficina.

—Las noticias no son buenas —dijo Terrizano—. Parece que efectivamente tienen el teléfono de la tal Rosa intervenido, y que la doña se nos fue con disquette y todo. ¿Alguien sabe dónde pudo ir?

Así surgió la idea, que yo nunca había tenido, de llamar a cuanta señora Stein apareciese en la guía. Eran como unas veinte y según Bowling lo difícil era la primera pregunta:

—¿Qué decimos? Disculpe: ¿usted es la vieja que parece una mendiga sin teléfono?

—No, enano, ya sé: ¡hablemos en griego! Si es Olga engancha.

—¿No es más fácil preguntar por Olga directamente?

Ese último era Terrizano, histérico por los nombres falsos y por el tiempo que iba pasando sin que él pudiese terminar de armar un plan. Él quería que yo llame a Juan y le dijese que iba a darles el disquette, que luego hable con mi padre y le dijera que lo vería en el velatorio, y que si toda esa buena letra iba bien y levantaban la acusación de asesinato culposo, me las picase por un tiempo hasta que aclarara el panorama. Lo que nadie sabía entonces, ni siquiera Bowling, era que al hablar finalmente con mi tan buscada Olga, yo ya había decido otra cosa.

—¿Y? ¿Era o no era la Stein que vos decías? ¿Rosa está con ella? ¿Qué te dijo?

—Pará, enano, dijo algo parecido a tu sanata.

—¿Cuál?

—La que el dibujo no es la forma.

—¿Así te lo dijo?

—En otras palabras, pero parecido.

La conversación telefónica con Olga me había cambiado el ánimo, y aunque no había sido muy productiva, yo estaba feliz de haber podido escucharla por primera vez, así que continué mis explicaciones a Bowling con mi mejor tono.

—¿Que qué me dijo? Y por ejemplo, enano, cuando le pregunté de qué podía servirles a ellos el disquette, me contestó: "A ellos less sirrvee ttoddo."

Me quedé pensando que ella hablaba con la misma escoliosis de su columna. Sus palabras se desfasaban produciendo un sonido sucio y fuera de foco. Rosa, del otro lado de la línea, había insistido en que aunque ella sabía que yo necesitaba entregar el disquette, tenía que entender que hay cosas más importantes que mi propia existencia, y que si bien no había podido descifrar nada del dibujo del heliotropo, por algo lo querrían, a ése, y no a ninguna copia ni a ningún otro nuevo polígrafo que pudiese dibujarme Olga.

De repente el petiso me sacó del paréntesis y dijo:

—Eso te iba a preguntar. ¿Por qué no le sacan una copia al original y chau, se dejan de joder, uno para cada uno y listo?

—Parece, enano, que ponés el disquette y cuando lo querés copiar la compu lo escupe.

—¿Y con el dibujo qué pasó? ¿Sabés cuál te digo? El de la planta de Rosa.

—Ni ella lo entiende.

—Pero si no tenés nada para entregar, Rosa y la vieja te están mandando al muere. ¿Vos qué querés: morir con gloria como el himno, o vivir con gloria?

¿Estaría mal hecha la pregunta? Empecé a sospechar que pudiese haber una conexión, entre ese pensamiento inmóvil con que mirábamos una bolsa de residuos, que según Nidia y Priscila "estaba viva", y ese dibujo sin forma que nadie podía atrapar, salvo, quizás, el heliotropo.

—¿Les sirve todo? ¿Eso dijo la vieja? "A ellos less sirrvee ttoddo".

Apenas Bowling imitó a Olga, se mandó una carcajada nerviosa, tan grande, que Terrizano y las hermanas hormiga se dieron vuelta. Mientras yo hacía mi búsqueda telefónica con Bowling, ellos se habían dedicado a discutir la situación de la autopista. Nadie podía regresar. Habían hecho requisa en todas las casas y los vecinos avisaron que "ni modo". Se habían llevado mi mochila con los documentos rescatados de la basura, y el cuaderno de sueños de la serie A. Habían roto en añicos el instrumental de partos, parte de los remedios, y la mayoría de las macetas. Y lo que sí milagrosamente se había salvado, era el arcón de Bowling, ya que vaya a saber por qué el enano lo había dejado abierto de par en par y bien a la vista.

—Si quieren —dijo Terrizano—, el chico se puede quedar en mi casa con mi esposa, pero...

Para él, lo problemático era conseguir a esa hora un alojamiento donde especialmente Nidia pudiese tener una cama. Priscila pensó en la morgue, aprovechando su amistad con Mirta O. Al enano se le ocurrió que podíamos ir al cuartito de su colegio, y hacer un colchón con las bolitas de telgopor... Yo en cambio no propuse nada, porque estaba aún azorado con la idea de ser el responsable del prolapso de una de estas dos mujeres, que para mi gran asombro, tenían órganos. Siempre había tomado a las hermanas hormiga, como dos cositas de boca grande y vestidido antiguo y crujiente, sin ningún tipo de tejido interno. Estaba, así, pensando, cuando Terrizano se mandó un: "ya sé, nunca falla", y surgiéndole el aparente disparate de volver a mi antiguo departamento, agregó:

—En el viejo domicilio nunca te buscan. Además si Juan, como me decías, te cambió la cerradura, con más razón pueden ir tranquilos.

Dicho esto, Terrizano le dio una ganzúa a Priscila con el mandato de que se encomendara a dios y se las arreglara. A mí en cambio me dio la clara instrucción de volver a localizar a Rosa, y convencerla de que me entregara el disquette y se dejase de "principadas".

Me encantaba la idea de estar unos minutos solo, y dije a todo que sí. Claro que el Buda, por si acaso me pirara, no dejó que me fuera sino hasta ver que me llevaba su viejo radiollamado, y anotase bien el número de su casa.

Eran ya las dos de la mañana, el velatorio de mi supuesta madre y víctima, terminaba a las ocho. A mi padre tendría que verlo ahí, ya que el cementerio de los milicos dejaba de ser un lugar público. Deseé a todos mucha suerte, y me fui feliz a respirar aire puro, y aunque fue un alivio llegar a la salida del edificio de Terrizano, y sentir que realmente podía escapar de todo, la sola constancia de que la pureza era algo en que lo que nunca había creído, me puso un parate. "Una roca y una bacteria se juntan y foman un musgo...." ¿El musgo del que me había hablado Bowling, sería puro o impuro? ¿Si se lo pasase por un alambique, y se le pudiese decantar su parte roca, quedaría sólo bacteria? ¿Un musgo tiene raíces? ¿Cómo se aprende a ser una cosa y la otra al mismo tiempo?

Cualquier tarea para el hogar que me hubiese encargado Bowling era mil veces más difícil que las de Terrizano. Yo a su vez me había dado como tarea abrir la puerta, llenar los pulmones, y mirar el cielo. Parecía que la noche se había tomado un feriado, y que había dejado en su reemplazo una polaroid gastada, pero por lo menos... ya no llovía. Las bolsas de residuos seguían taponando la bocacalle. Habían ido adquiriendo el mismo acomodamiento con el que una persona cansada puede recostarse en la calle, sin temor a ser vista o molestada. Pensé: lo puro es lo impuro, lo que es basura, lo que no tiene par, lo heterogéno, lo que sobra, lo que falta, lo que los asusta, lo que les sirve. Todo les sirve. La fusión, lo irrepetible...

Estaba tarado, me faltaba brillantez. Como esa noche, como esa polaroid, como ese resplandor opaco que trataba a grandes zancadas de seguir al niño que ni siquiera fui. Hice un esfuerzo y busqué verme de otras maneras y en cosas simples.

Terrizano, tendría por ejemplo el mismo problema que yo al sentarse. Ninguna silla estaría en escala. A él no le daría el ancho del asiento, a mí el largo de las patas... Olga tenía torcida la columna, yo... ¿Para qué servía este juego de simetrías? Para nada, para eso, para matar el tiempo plegándolo en acordeón como si fuese un mal programa de cine. Rosa me esperaba recién a las tres. ¡Puta madre! ¿Por qué no eligió un lugar más lógico? Recordé que de noche en esa plaza no se veía nada.

Pablo crea otra opción

Cuando llegó Rosa, dos veces quise tocarla y dos veces toqué su sombra. En parte por la oscuridad, en parte porque Rosa parecía haber reseteado nuestro amor hacia un nivel no compatible. "Si te querés vender no cuentes conmigo", había dicho... Y nos fuimos acercando de a poco, hacia el arenero con juegos. Rosa se sentó en una hamaca, y yo en otra. Rosa se podía hamacar y yo no, porque me sobraban varios centímetros de pierna. Creo que eso la conmovió. Eso y mi cabeza en punto muerto. Me faltaba fe para pedirle a mis ideas que hagan la prueba de ponerse dentro de cualquier palabra. Asumía que todas les quedarían chingadas, incluso las palabras de talle único como: perdoná, o, pensé, o, creía...

—¿Por qué estás tan callado, Pablo? Tendríamos que hablar. Quizás esta sea la última vez que nos veamos.

Rosa llevaba puesto un tono gris en la voz, un tono álgido y antipático como el de la dulzura verdadera. Siempre la perdonaría. Volví a mirar el cielo... Bowling me había hecho notar que el noventa por ciento de la materia del universo que sostiene a las estrellas, es oscuridad. Deseé que mi vacío fuese suficiente sostén para Rosa, pero ella esperaba algo tangible. Se me ocurrió inventar que el atravesar de noche una plaza, era un camino ríspido y devorador, y hubiese seguido con esa teoría infantil, si no hubiese sido por esa luz roja que daba vueltas con ira.

—¡Tirate al piso, Pablo!

Sólo fue un instante. Una ráfaga vigilante en la rutina de la policía de la zona. Rosa y yo permanecimos debajo de las hamacas marcando nuestras huellas digitales sobre el pasto, y fue en esa quietud extrema que decidí besarla. No como antes, no como ayer. La besé como si ya me hubiese ido y fuese en ese ahora desplazado del aquí, que pudiese conservarla para siempre. La besé incestuosamente, transformándome en el hombre que mi madre hubiese amado. Ese hombre imaginario capaz de moverse perpetuamente debajo de la tierra, donde nadie lo escuchara caminar, ni subir, con sus pies de carpa.

—¡Pablo, no! ¡No! ¡No quiero! Ya se fueron, dejame.

Estaba loco. Esa noche, en esos dos minutos, estuve loco. La policía se había ido a continuar su ronda por otros sectores de la plaza. Yo me incorporé y ayudé a Rosa. Tenía su cuerpo manchado de musgo y una vergüenza que nunca le había conocido. La hamaca que habíamos golpeado al levantarnos, volvía a pasar delante de nosotros como haciéndonos señas de que nos calláramos. Traté de mirar para otro lado y despabilarme. Era tarde, me faltaba sueño, no entendía ya nada y todavía me faltaba explicarle a Rosa lo que se me había ocurrido intentar...

—Está bien, Pablo. Yo testeo eso en el disquette, pero te lo doy sólo si estoy totalmente segura. Vos sabés lo que pienso de esto, ¿no?

Fue lo último que dijo, luego se dio media vuelta y caminó hacia la luminosidad de la avenida arrastrando una pesada enagua de pinos. En ese momento entendí que si seguía así, sin pegar un ojo, podía volverme adicto a este tipo de conexiones y desconexiones donde parecía estar anidando el riesgo de vivir. Insistí y la miré una vez más antes de que cruzara. Rosa tenía el temblor invisible de la flor que se sabe contemplada. La vi de niña, como en la carta de su psiquiatra. La vi mirando cómo mataban a sus padres en el estanque. La vi creyendo que había nacido ya grande, guardada en un libro que ha estado muchos años escondido. La vi girando ilusoriamente su cabeza hacia mí, diciéndome que hay personas que pueden ser distintas a la vida que han llevado. Dormir, ¿dormir, dónde?

PABLO VUELVE CLANDESTINO A SU ANTIGUO DEPARTAMENTO

Quinto sueño x.

Hoy es el día en que Bardo lleva sus disfraces a la tintorería. A él le gusta cuidar su apariencia. Bardo, el impecable, revisa los bolsillos de cada prenda y al entregarlas a la empleada, pide que sea una limpieza en seco. Bardo no quiere agua.

"No crea que lo que usted está haciendo me pasa desapercibido", dice la empleada. Acto seguido Bardo le pide una funda de plástico de las que entregan con los trajes, y apenas la empleada se distrae se la coloca sobre la cabeza. Con una mano le aplasta la bolsa de nylon sobre la cara; y con la otra le empuja el vientre. La cara de arriba se asfixia, y sabiendo que tiene poco tiempo, busca ver esa otra cara que va bajando. Las dos están hinchadas y amoratadas. La de abajo llora, la de arriba queda encerrada al vacío, con la boca y los ojos abiertos escuchando en falso. Bardo toma el chico y se va. La tintorería cierra.

—¡Nene! Despertate que son las siete. ¿Seguís en pedo?

Por suerte las hermanas hormiga habían podido entrar a mi departamento con la ganzúa de Terrizano. Creo que Priscila me había esperado despierta y con mi cama hecha sobre el sofá.

—¡Pablo!... Dale, pichón...

La voz de Priscila era demasiado penetrante. No obstante, con un poco más de voluntad hubiera podido no oírla y continuar el sueño. Quizás, pensé, ese sueño podría llegar a evitarme gran parte del interrogatorio previsto para mi padre. ¿Pero cómo se hace para no escuchar a una partera? Abrí los ojos. Nidia ya se había puesto "mejorcita". Ambas estaban en cuclillas levantando cuanto residuo había quedado sobre el piso. No les importaba que la tierra fuese de madera. Parecían dos campesinas virtuales llamando a los ancestros. Me levanté y las miré más de cerca. Era una recolección minuciosa, abocada a comprobar la existencia de restos de lo que, empecinadamente ese día, denominaban como alegría. No podía creerlo. Jugaban a la casita de "lo que queda". "Quedó un poquito de café, tomátelo vos, Pablucho". "Aquí quedaron unas galletitas". "Y aquí quedó..."

Atesoraban las muestras de cualquier cosa que hubiese existido antes, y hasta el hallazgo de un pedazo de jabón era motivo de griterío. Veían en él, el cotiledón de una esperanza que yo no entendía, pero me prestaba al juego mintiendo, tratando de que no se diesen cuenta de lo profundamente cruel que podía resultarme la obviedad de ese apuntalamiento. Mi sueño había sido demasiado concreto. Me molestaba no poder verlo como imaginario. No tenía vuelo, ni adornos. Era la muestra de lo que en una hora me esperaba con mi padre. Levanté el tubo del teléfono y Nidia me avisó:

—¿No ves, Nene, que no tiene tono? Las bolitas de naftalina las dejaron, pero la línea... Pichón... ¿El cosito que te dio Terrizano no te sirve?

Me había olvidado que tenía el radiollamado. Había dos mensajes: uno del Buda y otro de Rosa. El del Buda decía que lo llamara urgente, el de Rosa que me esperaba a las y media en la terminal del subte. ¿Me daría el disquette?

—Tengo que irme. ¡Las quiero!

Las hermanas hormiga estaban en ese momento recogiendo los restos de mis antiguas placentas cazamoscas, y emocionadas por lo afectuoso de mi saludo, permanecieron agachadas como en un silencioso estado de comunión. Yendo hacia la puerta, vi que una de esas bolsas de nylon que había contenido agua bendita, estaba aún intacta. No la levanté.

Había empezado a darme cuenta de que el miedo es lo que más nos tranquiliza.

Provocación y duelo

Cuando llegué a la terminal hice el cálculo de los minutos que necesitaría para estar tiempo en el velatorio. Tenía que tomar el disquette, en el caso de que Rosa me lo diese, e irme a los pedos sin devolverle el llamado a Terrizano y saber qué cuernos quería. Tampoco tendría tiempo de llamar a Juan y avisarle que yo iría en son de paz con la transa a cuestas. Tendría que irme, así, a lo bestia, y correr el riesgo de presentarme allá sin ninguna garantía. Rosa me había dicho que la esperara en el puesto de panadería del andén cuatro, pero al no verla me puse a hacer la cola. Estaba histérico. ¿Por qué no estaba Rosa? ¿Me estaría castigando por algo? ¿Querría que no me acercase a mi padre? ¿Que no llegara a tiempo a verlo? ¿Sería ésta su forma de protegerme? ¡Joda! Cada vez había más ruido de estación. El damero del piso se había acabado, ya no tenía a nadie delante de mí, y era el único frente al mostrador... "¡Pebetes!", dije, y el vendedor canoso se dio vuelta con dificultad, como uno de esos muñequitos de lata que tienen oxidada la cuerda. Me vio, y sonriendo con un millón de arrugas espolvoreadas de harina, me alcanzó una bolsa de papel madera. Y así el alimento prohibido pasó la frontera.

Rosa me había mandado el disquette y eso confirmaba que había hecho la prueba. Se la había pedido porque yo también quería estar seguro de que el disquette no les sirviese a ellos. ¿Rosa seguiría con Olga? ¿Por qué no habían venido? ¿Desconfiarían de mí? ¿De lo que les pudiese entregar a ellos, de mí, sin saberlo? ¿Las vería nuevamente?

En la bolsa, junto al disquette, el viejo vendedor de pan había dejado efectivamente caer un pebete, y me lo guardé para después, como quien se reserva leer la tarjeta de un regalo.

Eran las ocho menos diez. Me puse a correr como loco, y exactamente cuando ya no daba más, y creí que había tomado la dirección contraria, ¡horror!, no sé cómo, estaba en las puertas de la casa velatoria. "Velatorio, revelatorio, develatorio", pensé. Pedí en la recepción que preguntasen por Juan y le avisaran que había llegado. No hizo falta. Juan bajaba de impecable traje oscuro, con un pequeño monitor en la mano. Hacía alarde del control que tenía sobre la situación, y de lo sofisticada y útil que podía ser la tecnología para estos casos. Seguí mirándole el traje. Buscaba encontrarle en el interior de la manga, el número que ponen las tintorerías. Quería documentar mi sueño.

—¿Trajiste invitación? —preguntó sarcástico Juan, y sacándome el disquette de las manos me mandó para el segundo piso donde estaba mi padre.

El ascensor era sólo para los féretros, así que subí por las escaleras. Los escalones estaban tapizados de terciopelo gris y hacían juego con la vestimenta de Juan. ¿Sería una casualidad, o Juan había elegido su traje de acuerdo al lugar? A él le gustaba combinar. Seguí subiendo. Dos bultos se cruzaron bruscamente en mi camino llevando una corona de orquídeas blancas. Estaba ya en el primer piso, y de repente, confieso: tuve tres años. Vi la raya del pantalón de sarga. Vi la raya recta, recta, vigilando. Vi cuando la mucama que la estaba planchando, generosamente me convidaba un poco de su sagrado olor a Plastitel. Olores que emanaban tristes de ese lavadero tan pendiente en cumplir con las exigencias textiles de mi padre, cuando una vez al mes venía a casa. Cerré y abrí los ojos. Traté de concentrarme en los escalones. Volver a ser un chico en ese momento no era lo mejor. Quería sentir el riesgo de tropezarme con otra corona, y por el solo hecho de querer sentir algo, me creí con mejor suerte que los demás vivos de ese lugar. Había llegado al piso dos.

—¡Ché!, acomodate junto a tu padre, era hora de que llegaras.

Quien me estaba llevando del hombro era uno de los directores del Centro de Investigaciones en el que yo había trabajado. Entendí que él, al igual que los otros, eran finalmente empleados de la Fundación que había venido manteniendo mi madre impostora. Miré hacia los costados. Todas eran caras conocidas. Se movían con naturalidad como si no les molestase que los relacionase con mi pasado. Simulaban no saber que yo sabía, y esperaban que mi padre diese algún tipo de instrucción. "Soy un pasante", dije, "estoy haciendo una pasantía", insistí. Y me dejé conducir por ese supuesto investigador de Homero, atravesando como un sonámbulo el salón de la funeraria. Algunos presentes cumplían en darme un pésame confuso, y excepto por el "ché" campechano y autoritario que usaban para hablarme, nadie parecía pertenecer a algo militar. Hasta los tipos de sombrero oliva que me habían interceptado en el hospital estaban de civil esa mañana. Uno supuestamente era el padre de Juan. Lo reconocí por el rango, ya que sólo a partir de los tenientes se les permitía llevar ese estilo de ropa sport con el que daban la impresión de haber sido interrumpidos en medio de un importante partido de golf. Mi padre vestía como él, y estaba al fondo atendido por un mozo de blanco. Se dejaba servir, y de tanto en tanto, miraba cómo me iban llevando hacia él. Cuando faltaban tres pasos para llegar, vi el cajón. La "señora" estaba adentro con su disfraz de muerta. Era la única con uniforme de gala. Se habían tomado el trabajo de pegarle los lentes de contacto nuevamente sobre los ojos, y parecían por lo tanto ser aún de ella, y no de esa media hora que faltaba para que la enterraran. Me detuve al pie del féretro. El director del Centro, respetuosamente, dejó de empujarme, y yo empecé a llorar en silencio. Creo que eso les molestó. Al darse cuenta de lo que estaba ocurriendo, mi padre dejó su taza de café en el piso, y como si esa hubiese sido una señal, el cura vino a mi encuentro. Era un cura de sotana larga, que enseguida ofició una serie de gestos compasivos, pero todos en el salón seguían desconcertados, y recién cuando entró Juan, creyeron poder tener una explicación para mi reacción. Claro que Juan, sabiendo de mi eterno odio hacia esa mujer, no entendió tampoco nada; así que se limitó a entregar el disquette a mi padre, y decirle algo así como que "estaba limpio y no había sido violado". Yo permanecía llorando y fue entonces mi padre el que se levantó y vino a buscarme. No era igual a Bardo. Era más bajo y amable que en los sueños. Era alguien que podía pasar como normal. Era real y terrorífico. Apartó al cura y al director del Centro, y me llevó a un costado diciendo que si era teatro no me serviría de nada, pero que si era verdad era una pena que ella no lo supiese.

Se refería a esa santa mujer, que según él, había preferido tener un hijo adoptivo con la sangre de su marido, que otro totalmente ajeno. "¿Así que… así son las cosas?", dijo. Yo entendí que lo obvio no era el tema y no contesté. Sólo busqué su mirada. Búsqueda ingrata, ya que mi padre tenía una extraña habilidad ocular. Una porción de sus ojos quedaba siempre oculta, como esperando un asombro que no llegaba nunca. Finalmente pude notar que él miraba mi pelo. A veces sus ojos iban despreciativamente hacia mi barba de dos días, o hacia mis zapatos con barro... pero siempre volvían a mi pelo. Empecé a darme cuenta de que él no lo había visto nunca tan largo, ni tan rubio, ni tan parecido al de mi verdadera madre, y sin tomar ninguna precaución le pregunté:

—¿Estás seguro de que no la quisiste?

Mi padre miró el ataúd sabiendo que él, al igual que yo, no estaba viendo ni llorando ese ataúd, sino el otro. El que faltaba. El de la línea punteada.

—¿Qué querés? —me preguntó en voz baja.

Era una oportunidad única. Él estaba viudo y eso lo dejaba en libertad. Parecía que podía pedir algo más que el hecho de que no me acusaran de nada, y pedí lo que no se puede pedir: la verdad. Pero eso, según él, era de los setenta y sugirió que hiciera como Juan y me actualizase un poco.

Estaba entrando en una tela de araña que yo no sabía diluir. Pedí que me devuelvan lo que se llevaron, y para que no sonase subersivo, aclaré:

—Quiero mi mochila con todo lo que tenía adentro.

—¿Esa basura?

—Son cosas personales.

—Las sacaste de la basura y son basura.

—Son cartas, sueños, cosas...

—Por eso, son basura. Mirá, aquí todo tiene importancia. No sos el único al que le gusta leer papelitos. No me gusta no entender. No me gusta.

Su voz adquirió un matiz distinto, era el momento en que el torturador cree que se vuelve honesto, digno de ser tratado como un enemigo justo. Pedía respeto. La consideración de haberme dejado hacer lo que yo quería. Nada podía ser más patético. Ese hombre de bigote retocado me avisaba honorablemente que yo ya estaba grande y no podía protegerme. Que era mejor que me hiciese humo, como seguramente ya me habían aconsejado. Decía que me había mandado algunas cagadas difíciles de tapar, y al preguntarle cuáles me contestó: "como subrayar en amarillo igual que ella". Recordé entonces los poemas manchados por ese insistente marcador de fibra. Recordé que los había rescatado entre muchos desechos y que los había mantenido junto a mí, sin comprender por qué. Era un recuerdo desperdiciado, que no duró. Pronto siguieron los rituales del lugar. La "señora" había cambiado su estado larvario, y los operarios de la funeraria estaban nerviosos. Tenían que llevársela. Pusieron música de órgano y todos se levantaron para un último adiós. Iban a cerrar el cajón, y Juan, compitiendo conmigo, dejó rodar una lágrima. En ese momento alguien con olor a pipa se le acercó, y lo golpeó en la espalda. Era Bruselas, el profesor belga que había concursado con nosotros el día del acertijo. No faltaba nadie. Todo encajaba en esta guerra por conquistar las zonas grises de lo que podía ser nuevo y, sobre todo, sutil. Me sentí indefenso. Tenía que irme. Podía notárseme en la cara. Algo, cualquier cosa...

—Hijo, ven conmigo —dijo el cura.

Rápidamente me vi trasladado hacia la escalera trasera por donde salían los maquilladores y, eventualmente, como ese día, los hijos intuitivos. Hasta el último momento seguí al cura esperando que me diese algo de parte de mi padre: un papel, una dirección para ir a buscar la mochila, el disquette... En definitiva yo había entregado todo y no tenía nada a cambio. Era como había dicho Terrizano: tiempo para rajar y punto. No había habido ninguna otra negociación. Ninguna confesión que pudiese llenar las expectativas de las hermanas hormiga y quizás, tal como temiesen Rosa y Olga, sólo con observarme les hubiese yo, en cambio, resultado útil.

"Que Dios te acompañe", dijo el cura. Una pequeña puerta de hierro se abrió conduciéndome hacia la vereda. Iba a ponerme a caminar en automático, cuando unas ruedas chirriaron justo delante mío. Me pregunté quién habría sido el que casi me pisa y levanté la vista: del garage de la funeraria, una muerta con pelo de fondant había salido en limousina. Y fue en ese último acto de atropello que encontré algo increíblemente motivante. Me di cuenta de que mi padre me había convencido de que yo era culpable. Y ser culpable, ¡oh Zeus!, era algo maravilloso. Sin esa observación de Bardo sobre mi subrayado en amarillo, hubieran pasado veinte años más de mi vida invernando en una estúpida inocencia. No habría tenido la plenitud de estar habitado por la certeza del culpable. Yo, Pablo, había hecho algo y quería seguir haciéndolo. Ver. Ver de nuevo. Ver mejor.

Primer sueño despierto. A una cuadra de la casa velatoria.

Alguien con miedo salta. Alguien con miedo vuela. Alguien con miedo llega. Es un miedo de otra consistencia. Blando como la lengua, como lo que queda cuando se nos caen los dientes. El hombre del miedo distinto saca un papel amarillo y lee: "A quien escuche, arriba del ropero, hijo de mi adentro, victoria extendida..."

El hombre cree que la carta fue escrita por una loca, y continúa leyendo:

"Fui cañería, colchoneta de algodón, cemento y cáscara de papa. Fui todos los objetos de mi celda en que podía esconderme. Nadie me ha tocado".

El hombre sabe que ha leído un testamento. Vuelve a buscar el papel en su mano, pero ni el papel ni su mano existen. Recuerda que pensó en los huesos de la noche y que al hacerlo, les arrojó su carne.

"Si esto es lo que quieren aquí lo tienen, si esto es lo que les di, eso es todo".

Hace el ejercicio de inventar un final que no ha sido escrito, y en el intento de buscarlo lame su propia boca . Se ha transformado así en mi saliva, y es ella, mi temerosa alquimista, la que me avisa que ya puedo cruzar la calle.

El semáforo parpadeaba. Recordé que tenía pendiente llamar a Terrizano y busqué un teléfono público.

—Tarde piaste. Hicieron llegar la negociación. Aquí, sí, al estudio. ¿Que cómo se enteraron que soy tu abogado? ¡Mijo! No preguntés pavadas, ¿querés? ¿Que de qué te estoy hablando? Que cuando fuiste al velorio, estaban convencidos de que ya sabías de qué se trataba el arreglo. ¿Me oís? Sí, creían que ya habías leído todo. Tendrías que venir. No, Bowling ya no está con mi esposa, se fue con las Lucarelli... Sí, tomó los remedios. ¡¿Todo el mundo me pregunta hoy lo mismo?! ¿Que por qué se fue de mi casa? Parece que mi mujer lo vio muy flaco y le quiso dar copos de maíz en el desayuno. Sí, se ofendió...

Del otro lado de la línea, la voz de Terrizano siguió buscando adquirir la desinencia sonora de un chiste. Siguió así, inútilmente, hasta que se cortó la llamada y ya no me quedaron monedas. Ya no tenía más nada de nada, excepto el tubo del teléfono en mi mano y la imagen combativa de Bowling poniéndole caras de asco al cereal. Y estaba así, adivinando los gestos del petiso, cuando un tipo de mi edad empezó a hacerme señas para que colgara. Él también necesitaba llamar, pero por alguna razón sintió que su urgencia no era igual a la mía, y al salir de la cabina me pasó unos pesos. Lo miré. Era la primera ayuda directa que recibía de un desconocido parecido a mí. Alguien joven, tan supuestamente en el limbo como yo. ¿Qué le habría picado? Hice un esfuerzo por retener su rostro, por tratar de reconocerlo otro día, en otro momento... Decidí entonces que para ir a lo del Buda no tomaría esta vez el subte, sino el colectivo. Quería ver la calle por la ventanilla. Observar esa gente que flotaba en la superficie y que de repente parecía estar cambiando. Además, quería tener diez minutos más de viaje para pensar en mi último sueño. En esa mujer que hablaba en su carta de victorias extendidas y a quien Rosa no hubiera llamado jamás loca. Y ahí, no más, entusiasmado con la idea de tener tiempo para tildarme, paré el veintinueve. Al subirme noté que había comenzado a evocar a Rosa como lo hacía con Mariela, y que no sabía si eso era bueno o no.

—Y por ssi esto fuese poco, sse tapa y sse almacena.

Miré el pasillo del colectivo. Había subido un vendedor de ofertas. A pesar de su "seseo", en un comienzo no le presté atención, pero al ver que ofrecía un juego de Taper Ware, le pedí uno. Era una imitación mala, de un plástico de mala calidad, y las tapas no eran tan herméticas como las de la marca original. De todas maneras valió para preguntarme si ese sistema de preservación me serviría como antes, ahora que justamente lo que quería guardar eran cosas que pudiesen pudrirse y oler.

—Todo consservado y ssuper orde...

Le devolví al vendedor sus supuestos "Taper", y observé que varios pasajeros aprovechaban en cambio la oferta. Un hemisferio completo de ese colectivo parecía haberse apagado con la llegada del ambulante. Nadie parecía saber, o esperar nada distinto de lo que les ofrecían. El viaje se había reducido a una promoción de dos por uno, y apenas unas personas del fondo manoteaban los restos de una identidad que parecían no conformarles. El vendedor lo intuía e insistía. Hablaba de la nitidez cristalina de los recipientes y de la ventaja de no tener que abrirlos para saber lo que contenían. ¡Horror!... me había subido al colectivo para ver por la ventanilla y, ahora, escuchando el ambulante, quería urgente opacar los vidrios, ensuciarlos a escupidas, quitarles ese insoportable efecto de pizarra mágica. Sentí que vivíamos encerrados en la ilusión de una transparencia que nos dejaba todo a la vista, sin sospechar lo mezquinos, ignorantes y mentirosos que podían ser nuestros ojos, si es que alguna vez fueron nuestros. ¿Dónde estaría la matriz ciega de las cosas? La matriz oscura, la primera. No lo sé, no lo supe entonces.

El chofer había frenado de golpe. "¡Bestia!", dijo la gente. Todos nos asomamos. Nos habíamos llevado por delante una virgen enorme de papel maché, justo cuando una procesión de creyentes la estaba terminado de cruzar. Se había roto en muchos pedazos y se la veía obscena. Sólo unos fragmentos de su pátina de lentejuelas le devolvían la dignidad de una virgen. Por dentro, el papel periódico y los burdos grumos de cola daban un espectáculo tan penoso como una bombacha que no debía ser mostrada. Una señora, algunos asientos más adelante al mío, dijo que era "la virgen de los sueños mal curados." Otra mujer más vieja que la primera, asintió. ¿Eran estos los diez minutos que quería yo para pensar? ¿Existía de verdad una virgen de los sueños mal curados, o alguien la había inventado especialmente para mí, en ese día fatal? "Sí, sí… es ella" Ambas la reconocían por llevar las manos atadas con un pañuelo con sangre, ya que, según decían, tenía los dedos muy dulces y era inevitable que los pájaros estuviesen picoteándoselos. "Pobrecita, no cicatriza nunca..." A esa altura del diálogo entre estas dos mujeres, yo no sabía si estaban hablando de la virgen atropellada, o del mañana. En todo caso, el oficial de tránsito ya había pedido que despejaran la vía pública, y aunque la virgen fuese algún tipo de futuro mal estacionado, pronto se la llevarían dentro de una bolsa negra. Definitivamente tendría que haber viajado en subte. Debajo de la tierra no hay estatuas.

La negociación

—Pablo! ¿Por qué tardaste tanto?

—Tuve que bajarme del colectivo

—¿Y qué?... ¿Te viniste caminando? ¿No se te ocurrió tomar otro?

No, no se me había ocurrido. Bowling me hubiera hecho notar que a los dos segundos vendría otro colectivo, que siempre viene otro detrás, y yo le hubiera aclarado que no estaba listo para subirme a nada, nuevamente. Pero ni Terrizano ni yo fuimos tan generosos en el diálogo, y nos conformamos con dejarlo ahí, como si fuese más importante saber que el gordo me había esperado en la parada del veintinueve luego de buscarme en la boca del subte. Tantas molestias... ¿para qué? Al principio pensé que Terrizano estaba perseguido con el tema de los micrófonos escondidos, pero luego de estar con Juan, y ver cómo se ufanaba de la tecnología, le di la razón. El Buda me había llevado a un bar que él consideraba como la gente, y ahí me dio el sobre con la negociación que pretendía mi padre. Tenía dos opciones, ninguna muy clara. La primera era aceptar una beca. Una especie de segundo concurso ganado a la fuerza, por el que me hacía acreedor de un puesto como lingüista de una importante institución educativa del exterior. Nada mal, salvo... todo. La segunda no era un ofrecimiento, sino más bien una especie de recordatorio de las cosas que se llevaron. Me estaban devolviendo sólo la carta del psiquiatra de Rosa, con los datos agregados de todos los "alias" y todas las agrupaciones a la que pertenecían cada uno de sus protagonistas reales. Un alarde que ellos ponían en el tablero para decirme: "yo sé de qué están hablando ustedes". Así, recorriendo la lista, llegué a Fermín, el chiquito que había estado en cautiverio con Rosa, y que le había enseñado a ver lo que no se ve. No había dudas, el reporte anexo trataba de ese mismo niño delirante capaz de pasar por su pullover una tiza y descifrar, en los nudos sobresalientes de la lana, el criptograma escondido. Él había sido, en todo este tiempo, mi competidor más tenaz para tener el amor de Rosa; y mi padre, experto en las armas químicas de la memoria, me lo acercaba hoy en una foto que mostraba que estaba vivo, que era ya un adulto, y que tenía un parecido indiscutible con la señora Stein. Las mismas cejas, la misma nariz... ¡Bingo! Todo junto de una vez, como para que no haya dudas de que estaban queriendo hacer un canje de rehenes. O yo volvía al redil, o era el responsable de dejar oculta la verdad más buscada y compartida entre Rosa y Olga.

—¿Y... qué pensás? —dijo Terrizano sumergiendo en su taza un terrón de azúcar con papel y todo—. ¿Será él? —continuó.

—No, eso sí, o por lo menos lo que queda.

Otra vez, como el día anterior en que había visto la recolección de las hermanas hormiga, me volvía la idea de lo que quedaba. La inapelable imagen de algo que todavía es algo.

Terrizano, simultáneamente, continuaba con su chancha operación de sumergir el terrón envuelto.

—¡No lo peló! —le avisé.

—Es lo mismo —me contestó, mientras lo volvía a mandar para abajo con el papel, ahora más disuelto, flotando ya sobre el café.

—¿Se lo va a tomar así?

—No, no tenía ganas de tomar café, era para darle gusto al mozo, estoy esperando que se enfríe.

—¿Se lo va a tomar frío?

—No, ya te dije, no quiero café. Lo enfrío para dejarlo. Y por eso, ¿ves?, lo revuelvo. Es muy importante revolver las cosas que vas a dejar sobre la mesa.

Me quedé mirándolo y entendí que este gordo asqueroso tenía razón. Era genio. Genio total. No importaba lo cerrada o lo abierta de una opción, si no lo básico: ¿estaba yo de acuerdo en que tenía que pactar algo con alguien? Al igual que las hermanas hormiga, Terrizano me pedía que dejase enfriar las cosas y ganase tiempo simulando. Pero yo estaba muy asqueado y no tenía fuerzas. Todavía me pesaba ese encuentro con Bardo. Quería volver con Nidia y Priscila y con Bowling. Juntos los cuatro como una familia. Como la familia a la que también tenía derecho Fermín, si pudiese saber quién era realmente.

En esa mañana se fueron así acumulando los tipos "parecidos a mí", como el sujeto que me dio plata cuando salí de la cabina telefónica. Y mientras los acumulaba, me preguntaba si podría seguir yendo a mi departamento, si podría conseguir trabajo de otra cosa, si la gente de la autopista se sentiría ya a salvo, si por fin lograría hablar con la maestra de Bowling y convencerla de que no me jodiera al enano... Y ahí, en ese cansancio y en ese deseo, estaba la razón por la que el Buda había tenido la gentileza de llevarme a un café y hacérmela suave.

—Mirá, hay una cosita más —dijo—. Hace como una hora, a este chico Bowling, se lo tuvieron que llevar al hospital. Me pidieron las Lucarelli que no te asuste porque es una transfusión y nada más. Pero si querés ir... es acá cerca, en el Municipal donde las dos trabajan. Tendrías que preguntar en la guardia.

Caminé hacia el hospital en estado de turbulencia. En el trayecto me encontré por casualidad con un barrendero y me volteé a mirarlo sin poder evitar ese acto reflejo. Era el barrendero que yo había llamado hombre-árbol. El alto, el que parecía idiota, el de la piel con costras, el que hacía unos meses me había despertado en la plaza diciéndome que tuviese cuidado porque me iban a robar los zapatos... Era él, y para mi gran no sorpresa, venía barriendo los restos de la virgen de papel maché, desde el lugar del accidente. Nunca los recogería, era el barrendero que no llevaba pala. Los arrastraría paseándolos por toda la ciudad. Nadie sabría de su preciosa carga. Lo verían y dirían que está haciendo su trabajo. "¡Oh ejército tan ridículo el nuestro!", pensé, y apuré el paso con la sensación de estar llevándole a Bowling una ráfaga de alegría.

El Municipal no tenía nada que ver con el Hospital Militar que yo había conocido estando internado. Tomé conciencia de lo fuerte que yo estaba desde entonces, y seguí mirando a mi alrededor como no lo hubiese hecho antes. Nada parecía haberse salvado de quedar bajo los efectos de un desinfectante corrosivo. Las paredes, los carteles, los delantales y las patas metálicas de las camas... Todas las superficies estaban arañadas y despellejadas, con una misma y única huella de miseria animal.

—¿Nidia y Priscila?, creo que las vi por hematología. Bajá, rubio, al entrepiso y seguí los letreros.

Es llamativo cómo en una situación así, uno presta atención al discurso de un extraño. Alguien ajeno en el mostrador de informes. Un empleado amable, agresivo, hostil, seco, simpático, buena gente, cruel. Alguien mirando la hora, mudando y corriendo indicaciones, como si sus conocimientos acerca de dónde quedan las cosas, fuesen muebles fuera de lugar. Sí. Alguien que mentía, alguien que decía la verdad. A veces, siempre a veces. A veces a las ocho, según decían, uno tenía suerte y se llevaba una buena información. A veces las ocho no era una buena hora.

Yo estaba en el entrepiso y ningún cartel decía hematología. Ni siquiera "Rayos", lo cual por lógica podía indicar una buena cercanía. Los carteles eran de saque número y espere turno. También había uno de patología y otro de esterilización. ¿Esterilización de qué?

—¿Acá te dijeron? No, acá no es. Tenés que cruzar el patio y llegar al pabellón de ambulantes. Ahí fijate con cuidado.

¿Cuidado por qué?... Un extraño, otro. Alguien que sabe o cree que sabe. Alguien en la cola. En cualquier cola. Un enfermo dando una instrucción, a veces un pariente. A veces una auxiliar muy maquillada con un papagayo en la mano. A veces, ni siquiera nadie remotamente confiable. "¡Está bien, estoy aquí!", dije, y haciendo fuerza para no huir, vi que el patio del Municipal era enorme, lleno de baldosas flojas y gente, que como yo, no hacía otra cosa más que buscar carteles. Caminaban sin nombre, llevando un alfajor húmedo en la mano, y decían cosas ingenuas y terminales, como: "Para después... para más tarde". Lo decían con la misma certeza fuera de vena con la que creían no estar incubando la idea de que algún ser querido se les pudiese morir. Pronto, ya, ¡urgente!... Si no encontraba a Bowling armaría un escándalo.

—¡Pablo!, ¡Pichón! Salí a buscarte por si te habían mandado para los tomates.

Esa era la bienaventurada, algo afónica y pasada de sueño, voz de Priscila. Le pregunté por Bowling seiscientas veces, pero Priscila estaba en enfermera y se limitó a decirme que al enano le habían hecho lo que le tenían que hacer, y lo habían despachado porque no tenía sentido que se quedara. No me dijo ni lo grave que estaba, ni me dio más datos que los que podía inferir con su: "Andá, Pablucho, a la autopista y ayudala a Nidia con las compras de la comida. No dejés que esa terca te engatuse. No hay ni perejil".

Llegué bien. Despierto, atento, despabilado... Pero al estar en la puerta de la casa de las hermanas hormiga, ese estado se diluyó.

Segundo sueño despierto.

El calamar se sostiene en el hueco de la puerta. El mar está vacío. Quisiera avisarle. Creer en la imagen que succiona mi dedo al tocar el timbre. Me acerco, patino, no cuajo en el marco. Soy el otro. Me desprendo. Pido que me pregunten. Necesito vivir en la pupila aguada de la pregunta. ¡Mírenlo! ¡Es tan bello!... Atrae, escupe, chupa, expulsa. Atraviesa mi rostro con pequeños estertores de pólvora, y huye por la fisura de aquello que lo llenaba. ¿Por qué? ¿Puedo preguntar por qué? Le pido que se quede quieto en el metal del timbre. Dice que sí, se olvida. Se vuelve invisible e indeleble. Avanza y retrocede en la creadora propulsión de la nada. No sé qué hacer. Ordeno: "¡Que nadie le abra a la muerte!". Pero él no obedece. Él no está. Pertenece al flujo. Convulsiona, fibrila... y apenas presiente que voy a dejar de llamar, se desimanta y se deja caer hacia atrás y con la espalda extendida, como el recién nacido que se tira de su cuna, sólo para poder llorar más fuerte en los sueños.

—¡Nene! Pará con el trin-trin, que sorda no soy. ¿Qué te pasa hoy? ¿Se te quedó pegado el dedo?

Nidia me recibió en medio de una agradable humareda de cáscara de naranja quemada que, según ella, servía para ahuyentar el olor de lo que no debiera oler. Terrible descripción aquella, ya que uno se quedaba con la sensación de que algo muy sagrado se estaba descomponiendo. La miré, se había encogido por lo menos dos centímetros desde las pocas horas que la había dejado de ver, y pensé que si seguía así, encorvándose cada vez que sonreía o fabricaba un nervioso diminutivo, pronto mediría un metro cuarenta.

—Vení, Pablo, Bowling está medio dormidito. Estaba por ponerle el suerito.

En realidad Nidia no hablaba así. De escucharse, hasta le hubiese resultado insoportable. Ese día era su forma de hacer pequeño el miedo enorme que sentía. Se las había arreglado para ordenar lo que había destrozado la policía. Había puesto casi todas las cosas en su lugar, recogido los pedazos de las macetas rotas, y cambiado las sábanas de la "camita" de Bowling.

Al enano no se lo notaba ni más flaco ni más pálido que otras veces. Estaba efectivamente con los ojos cerrados, pero apenas Nidia le puso la sonda en el brazo, me avivé que simulaba. Aproveché, y con un sentido del humor que no sé de dónde me salió, dije:

—¡Qué lástima que está dormido el enano! Yo quería contarle cómo fue la conversación con mi viejo.

"¡Contame, hijo de puta!", dijo Bowling incorporándose lo suficiente como para dejar que Nidia siguiese con la operación del suero. Claro que, lo que en realidad yo quería saber, era cómo estaba él y qué le habían dicho los médicos, pero era evidente que el enano estaba asustado y buscaba que le contasen un cuento. Así que seguí:

—¿Te la resumo? Mi viejo quiere que me vaya del país y siga trabajando para ellos en no sé cuál universidad.

—¿Y eso por qué? ¿Acaso sos un genio?

—No, enano, es un plan de armamento a largo plazo, que...

Bowling me hizo un gesto para que no lo jodiera con sanatas y quiso saber en concreto por qué cornos podía importarles la lingüística. Tuve que hablarle de una guerra por los símbolos y los sentidos, que cuando nada en el mundo quiera decir nada, y todo esté vaciado, ellos tendrían un buen polvorín de significados dominantes. Pero Bowling eso en realidad ya lo sabía y se interesó más por el resto de la negociación.

—¿Y a cambio qué te dan...? ¿Tu viejo seguiría acusándote, o qué?

—No, es peor. Me extorsionan, enano, con otra cosa. ¿Te acordás de Fermín, ese pibito que fue tan importante para la infancia de Rosa cuando cayeron juntos en el centro clandestino? Bueno, no está muerto. Ellos saben dónde encontrarlo, con qué nombre está, a qué familia se lo dieron... ¿Te das cuenta ? Si yo no acepto el trato, queda todo tapado en silencio y yo soy el responsable. Y para colmo, me dieron una foto de ahora. Miralo, es idéntico a la señora Stein.

—¿Qué? ¿Olga es la abuela? ¿Ya se lo dijiste?

—No tuve tiempo.

Bowling había mirado con atención la foto y puesto al mismo tiempo cara de dolor, como aprovechando que uno no supiese si el dolor era por él o por la imagen que sostenía en la mano. Automáticamente paré de hablar. Luego me di cuenta de que era peor, y seguí sabiendo que sólo estaba pasando en limpio una confusión enorme que ni a Bowling ni a mí nos servía.

—¿Y? ¿Qué te parece, enano, que haga?

—Yo que vos llamaría al número ese de la otra vez y les diría.

—¿A Rosa y a Olga juntas?

—Sí, gil, pero ¡ya! Si querés vamos ahora al locutorio...

—¡Vamos es mucha gente y no lo voy a permitir!

Esa era Nidia, que regulando el goteo del suero, se había puesto como loca al escuchar que Bowling quería salir. Ya no hablaba en diminutivos. De enfermera geisha había pasado rápidamente a samurai. Claro que el enano tenía sus trucos y al final se salió con la suya.

—Bueno Bowling, si para vos es tan importante dar ese paseo que vos decís. No sé... para mí tendrías que descansar. Te entendí, Bichito, con eso de que te distraés, pero... a mí me parece que ir al locutorio unos minutos está bien, pero al supermercado ya es otra cosa.

Bowling había meloneado a Nidia para que creyera que él podía ser útil acompañándome a hacer las compras. "¿Acaso podés pensar que el tipo este puede distinguir un puerro?", dijo refiriéndose a mí. También le había dicho que si él no me empujaba, yo no iba a saber cómo hacer guita mi reloj de graduación, y que sin ese dinero estábamos en la olla.

Yo no lo sabía entonces, pero por suerte el enano, conociendo mi vocación de perder cosas, se había guardado el reloj previsoramente hasta el momento en que fuese útil y pudiésemos ir al Superbank, un sistema de empeño que los súper que estaban cerca de la autopista tenían, y que reemplazaba al cajero automático de las zonas aún prósperas. Se trataba de que en vez de que uno vaya y use una tarjeta para sacar dinero de una cuenta, uno vaya con el anillo de casado o la medalla del abuelo, y lo cambie por bonos de compra del mismo súper. Yo no tenía ni idea de esto, pero la posibilidad de que ese puto reloj sirviera para traer comida, me atrajo hasta el punto de no medir las consecuencias y hacer yo también fuerza para que Bowling viniera.

—Son las doce —dijo finalmente Nidia—. A la una, corazoncitos... ¡los quiero en casa!

Nidia, preocupada, desconectó a Bowling del suero, pero le dejó el catéter en el brazo para no tener que volverlo a pinchar. Cuando salimos a buscar un teléfono, observé por el clima que había cambiado de estación y sin embargo seguíamos llevando ropa de invierno. Esa era una señal de deambular mal disimulado. Se nos distinguía justamente a los que llevábamos la habitación a cuestas, por ese tipo de desajustes metereológicos. Me vinieron así, y creo que a Bowling también, unas fuertes ganas de no hacer nada. De sentarnos y bajo el sopor de nuestras ropas pesadas, echarnos una deliciosa siesta en la plaza. Eso hubiera sido hermoso. Permanecer. Permanecer en el pasto... Lástima que ninguno de los dos dijo nada.

—Che, petiso. Lindo el día ¿no?

—¿Vos sos boludo o te hacés?

—Me hago, pero si no querés... te pregunto: ¿por qué te llevaron? ¿Qué pasó en el hospital?

—Y... de vez en cuando me agarra. Con tal que zafe está bien. Mirá...

—¿¡Quée?!

—Nada, ahí hay un locutorio. ¿Te vas a animar?

Bowling discó. Yo esperé con la oreja en el auricular. Atendieron, dijeron que señoras Stein en ese lugar había como diez o doce, y preguntaron que cómo era la nuestra. Empecé a decir: vieja, con el pelo áspero, gris... Bowling me sopló: torcida, con la espalda corrida y habla balbuceante.

Contestaron: "todas son más o menos así". Entonces tuve como un reflujo y agregué: "casi siempre está con una mujer muy bella. "Se la paso", dijeron, comprendiendo que "bella" era un adjetivo poco común sólo aplicable a la acompañante de "esa" señora Stein.

Bowling suspiró, se acomodó puteando porque la cabina no tenía almohadones, y se pegó él también al tubo. Me atendió Olga, pero a los dos palabras Rosa me hizo saber que ella también estaba. Sin muchos adornos empecé a explicar todo.

Ellas no hablaban, sólo escuchaban con un oído blando, sin huesos. Era un oído puro que podía contraerse, chasquear, y hacer pequeños sonidos fetales detrás de la línea. Después vino el silencio, la abstinencia, el frío. Luego palabras. Palabras con millones de hilos. Enhebrados, apretados, estrujados... Y Bowling sacándose la gorra, dejando que sus venas extendiesen el cableado de la respuesta aliviante: "Así, no. No aceptes". Rosa, quien oficiaba de traductora, agregó que no perdiera la foto de Fermín y que me iban a hacer llegar "algo" en el momento oportuno.

Colgamos, nos fuimos. No me pareció bien haber ido con Bowling. Podría perfectamente haber ido solo... Faltaba una cuadra para el súper, cuando el petiso me pidió que le pisara fuerte el pie.

—¿Por qué, salame, querés que te pise? Calzo cuarenta y cinco... ¡Te voy a hacer doler!

—Bueno, pero... sería un dolor nuevo.

Ese día, Bowling necesitaba del pensamiento que pudiese surgir a través de su carne. Quería la evidencia de que sus moléculas se agitaban. Se fijaba en cosas pedestres, como si tenía las uñas largas o si se le notaba cera en los oídos. Pequeñas disertaciones sobre la manifestaciones de la materia, con las que finalmente llegamos a destino.

—Che, Pablo, agarrate pronto ese carrito de ahí.

El súper era bastante grande, y recubierto de una palpable violencia. Tenía por ejemplo tantas luces de neón, que habían desaparecido las sombras y la gente parecía moverse pegada a un pizarrón magnético. No había volúmenes. Pero a Bowling parecía no importarle esta falla escenográfica, y me pidió que lo subiera dentro del carrito y le diese unas vueltas en remolino.

Marearse era una experiencia concreta y una convocatoria al espíritu, pero el único argumento que sirvió para que el supervisor se convenciese que habíamos ido para comprar, y no para jugar a la calesita, fue mostrarle el reloj e ir con él al mostrador de empeño. Cuando llegamos al famoso Superbank, el empleado dijo:

—Cobrarían doscientos en bonos de comida, o trescientos en bonos de polirubros y cosméticos.

"¡Doscientos!", dijimos al unísono. Y con el talonario de bonos en la mano, entramos eufóricos a las góndolas, creyendo, como estaba previsto, que no nos habíamos dejado engañar.

La lista de compras de Nidia había sido escueta. Mucho énfasis en los lácteos y en las verduras... Arroz: uno, carne: cero.

—Enano... ¿vos sabés por qué Nidia pone a cada rato: "tamaño chico"? ¿No son los tamaños grandes los más económicos? Si tenemos plata, ¿no nos convendría...?

—Los grandes no sirven para rajar. Si te tenés que ir, al final los dejás y es un desperdicio.

¡Oh!, dije, y enfilé a las galletitas sin encontrar la marca que estaba anotada.

—No las busques ahí, están por la parte de las comidas para perros.

—¿Es un chiste, petiso?

—No, ¿por qué? Tienen proteínas. Son balanceadas... Si le hacen bien a un...

—Mirá, creo que en algunas cosas voy a usar mi criterio. ¡Vamos para el sector de la carne!

Poco a poco la expectativa que teníamos cuando empezamos a hacer las compras, se fue debilitando. Era fácil darse cuenta de que no podíamos llevar todo lo que queríamos. Yo sentía, para colmo, que cada vez Bowling pesaba más dentro del carrito, y que por alguna razón alguien nos seguía. No pude pensar mucho en eso, porque un tipo rengo y bastante sucio dobló de pronto y nos chocó haciéndome sangrar un tobillo. Bowling dijo que era un embestidor, y al pasar por la sección de almacén, vimos que otros embestidores habían hecho sangrar las pantorrillas y rodillas de otra gente. Nos avivamos entonces de que necesitábamos curitas, y que no las podíamos comprar porque nuestros cupones eran sólo de alimentos. Así que atravesamos la góndola de cosméticos, con la esperanza de que hubiese quedado alguna tirada en el piso. Ahí vimos que unas cuantas personas se ponían talco y desodorante por todo el cuerpo, como si hubiesen quedado encerradas sin poder salir del súper y estuviesen bañándose clandestinamente en ese pasillo. Esa misma sensación de gente "ajada y atrapada", la tuvimos en la frutería, cuando un padre puso en remojo a sus dos hijos apenas accionaron el aspersor de las lechugas. Bowling estaba callado y triste, y por decir algo positivo comenté:

—Me gusta este supermercado. No te hostigan tanto como los que están llenos de promotoras que te obligan a probar jugos y pizzetas, y se enojan si no llenás el cupón para el sorteo del auto. Esto es más tranquilo.

—¿Querés que te aplauda? No es por tranquilo que no te convidan un pomo, es porque no alcanzarían las muestras.

Miré hacia abajo. Quise concentrarme nuevamente en la lista de Nidia. Azúcar común una bolsa chica, tomates... ¿Qué tomates? Bowling se había una vez comparado con los transgénicos. Hacía tanto tiempo ya de eso, que tuve que hacer una mudanza para recordarlo. Quedó claro entonces en ese esfuerzo, que Bowling era el único habitante de mi memoria capaz de manejarla como un camionero. Miré hacia abajo otra vez...

¿Qué más quería Nidia? Laurel y ajo si no estaban caros, azúcar... ¡Nos seguían! Juro, carajo, que nos seguían. Era una presencia fugitiva, acechante. ¿Creerían que nos íbamos a robar algo? Tenía tanta bronca que ya no me aguantaba.

—Vos lo que necesitás, enano, son glóbulos rojos. Vamos a conseguirte unos bifachos.

Bowling me miró como cuando me hacía el canchero, dejando claro que me quedaba mal el papel de chico de barrio. En eso el petiso era implacable. Pero esa vez, perdonándome, sólo dijo como chiste tonto " no soy vampiro".

Luego suspiró sin fuerzas, y permitiendo que le pusiese unos cuantos paquetes familiares de algodón que pudiesen servirle de respaldo y aliviarle la espalda, dijo:

—Oíme Pablo, ¿vos te acordás lo del papel barrilete que una vez hablamos?

—¿Que si te morías te envuelvo como un paquetito de regalo? Sí, me acuerdo.

El carrito, en verdad, parecía estar frenándose solo a cada rato. Daba la sensación real de que pesaba más, aunque sólo hubiésemos puesto dentro algunas verduras. Traté de seguir manejando sin que se notara el esfuerzo, convenciéndome de que para la carnicería faltaban apenas cincuenta metros.

—Pablo, y lo de las semillas en las manos... ¿también te dije?

—No, eso, petiso, no me dijiste.

—Si me enterrás en una plaza, así, como paquete de cumpleaños, ¿no? Y me ponés además en las manos unas semillas, sería bárbaro. Porque como a la semana a lo sumo, ya estaría otra vez arriba de la tierra.

—¿Y qué semillas tendrían que ser?

—Mejor que muy delicadas no. Podrían ser como las del colegio con el secante.

—¿Porotos?

—¡Eso!, tendríamos que llevar hoy una bolsa, ¿no?

—Dejate de joder, sos un morboso hijo de puta.

—¡Huy!... Tenés razón.

Bowling se reía y sólo por eso yo le hubiese aguantado dos jodas más como esa, si no fuese que yo sabía que no era en joda, y que el enano en serio me estaba pidiendo que lo ayudase a ser un experimento de germinación. Noté otra vez, entonces, esa transpiración invisible de algo que nos seguía, y me di vuelta de golpe sin lograr pescar a nadie.

—Che, Pablo, ya llegamos a tu carne. ¿Qué churrascos querías?

—¿Por qué mi carne?, el que se la va a comer sos vos.

Había sido mala idea ir hacia esa parte del supermercado. Las baldosas estaban marmoladas con sangre, como si hubiesen venido arrastrando por el piso una vaca degollada. Era deprimente. Los cortes no eran los mismos que yo estaba acostumbrado. Se los veía grasosos, llenos de nervios, y se llamaban de una manera extraña que yo no comprendía. Tuvimos que pedir ayuda a uno de esos tipos de delantal blanco y bandeja al hombro, que entraban y salían a través de una sanguinolenta cortina de tiras de plástico. Así nos enteramos que la carne del frigorífico "El Ciudadano", que yo buscaba, era de exportación y no lo distribuían en esa zona; pero que sí tenían en cambio la de "El Rehén", que en el fondo, tal como nos lo explicara el hombre, era la misma milonga.

Bowling y yo nos miramos, y nos fuimos sin llevar un caracú, directo hacia la góndola de galletitas para perros. Después de todo las hermanas hormiga siempre tenían razón.

En el trayecto nos encontramos con nuevos embestidores. Bowling ya había aprendido a reconocerlos por lo que él llamaba un estado de exaltación asesina. Podían ser mujeres, jóvenes, o viejos... no importaba eso sino la cara. Los dientes apretados, las manos agarrotadas en el travesaño del carrito, y el olor fétido de la mercadería que llevaban; como si todo lo que hubiesen elegido, hubiese pasado ya su fecha de vencimiento. Empecé a inquietarme entonces, con esa idea de que las cosas vencían, cuando Bowling me señaló un escape. El enano sabía que yo todavía tenía el tobillo mal y no quería arriesgarme a otro tacle de changuito, así que dimos un recodo por la zona de librería. Ahí Bowling pareció resucitar con unos libros viejísimos de cuentos para chicos, que evidentemente les habían quedado de clavo. Eran de los que tenían las páginas llenas de puntos púrpuras y en las que no aparecía nada dibujado sino hasta que uno las humedecía.

—Petiso, ¿tenés ganas de probar? Aguantate, no mojés las hojas con saliva.

Bowling coincidió conmigo en que el papel de esos cuentos debía de tener como cinco millones de gérmenes, y se rió como un anticipo de lo que podría traerle el agua en ese segundo de revelación.

—Esperate, voy a buscar algo para que le pases.

Iba a dejarlo solo, cuando volví a sentir la presencia de esa vigilancia sutil y me arrepentí.

—No, mirá, mejor acompañame a los helados. Parece, enano, que creen que nos vamos a robar algo.

—Y algo nos vamos a robar... En eso tienen razón.

—¿Qué cosa?

—¡Las gotaaas de... rrrocíooo!

Bowling estaba exaltado, como milagrosamente recuperado. Me dio un latigazo con el libro de puntos que llevaba en la mano, y me incitó a ir galopando hacia los espejos de la góndola de helados. Ahí nos esperaba la intrépida tarea de robar el sudor frío de los freezers y llevarlo, transparente y fugaz, hacia ese dibujo que se había vuelto repentinamente para el enano, tan importante de descubrir.

—¡Lloren, espejos! —dijo Bowling, pasando su mano por el cristal. Y ahí nomás, sintiéndola húmeda y poderosa, la deslizó por el libro de cuentos dejando aparecer la estúpida figura de un barco. Bowling quedó petrificado. Pensé que estaría frustrado. ¿Tanta energía puesta para que al final apareciera esa anodina imagen de dibujito calcado? Pero el petiso de pronto se volvió hacia mí emocionado y, aún con su mano acuarelada de violeta, me dijo mostrándomela:

—¿Ves, Siberian?... ¡Mi mano es un calamar!

Fue la última lección de Bowling. Recordarme que yo había sido un Siberian, y que por eso yo estaba esperando la revelación en el papel y no en su mano, y que mis sueños tenían una tinta especial para imprimirse en la realidad y la estaba desperdiciando como un boludo. ¿Cómo sabía el enano lo que yo había soñado tocando el timbre de Nidia? Pregunta al cohete, porque saber no era la palabra, y porque lo urgente en ese momento era regresar con las compras hechas y conectar de nuevo a Bowling al "suerito".

—Vamos, enanín, ya es la una, Nidia nos mata.

—Y si Priscila regresó del hospital y no me ve, es Priscila la que mata a Nidia.

—¿Tan bravas son?

—Sí...

—¿Che, creés que nos dejarán llevar tu cuento con los cupones que tenemos?

—Y los libros, comidas no son.

—Tendríamos que disfrazarlo atándole unos turrones y decir que es una promo.¿Qué te parece petiso?

—¿Por qué me tratás hoy como un nene? No podemos llevarlo.

—Pero ya lo pintamos, nos van a matar.

La lógica indicaba que tenía que deshacerme del libro de cuentos y silbar bajito, así que fui a buscar un tacho de basura. Fue por esa razón, por ese tonto miedo a que nos dijeran algo, que esta vez sí lo dejé solo al enano.

—Quedate un segundo haciendo la cola en la caja, que tiro lo que vos sabés y vuelvo.

Fueron tres minutos, cinco. No sé. Pensé que para mí iba a ser más fácil encontrar un tacho de residuos en ese puto lugar. Pero, no, se lo tenían bien escondido... Empecé a angustiarme. No quería demorarme. Tacho, tacho, tacho... Todo me iba llevando nuevamente a la carnicería, cuando decidí que más rápido era esconderlo entre los mismos libros de donde lo habíamos sacado. Mimetizarlo y chau.

Al regresar a la cola, la señora que estaba detrás de nuestro changuito empezó a hablarme de Bowling apenas me vio.

—¿Es suyo ese chico, que está adentro del changuito? ¿Cuántos años tiene? ¿Diez?

—Doce. No, perdón, trece. ¿Por qué?

—Porque si es grande... ¿por qué llora como si fuera un bebé?

La señora me miró con cierto enojo, como pidiéndome que no me engañara. Me aclaró que su abuelo una vez también lloró así, y que ella sabía muy bien lo que eso significaba. Miré a Bowling, estaba muy tranquilo, creo que sonriente. No gemía en absoluto. Quizás la tipa se lo había inventado todo. A veces la gente habla por hablar. La cajera me hizo señas de que me adelantase, que ya era mi turno. El carrito estaba más pesado que nunca. Las rueditas no se corrían ni un milímetro, parecían clavadas al piso. Uno, dos, y nada. Volví a empujar y respiré, no podía hacer otra cosa más que insistir. Uno, dos… Y como si esa sensación de que algo nos seguía estuviese en ese instante también haciendo fuerza para empujar, el carrito avanzó sin que nada lo explicase, más que la pérdida súbita del peso mismo. Hoy pienso que si hubiese tenido una balanza, y hubiese podido pesar el carrito antes y después, hubiese podido comprobar cuan pesada era el alma de Bowling. Pero en ese momento yo tenía el tímpano perforado. El tímpano de adentro, el que no había usado nunca antes. Perforado y estallado en un silencio cenital con el que sólo podía luchar obedeciendo a la cajera:

—Ponga todo lo que compró aquí. El chico está escondiendo algo. Sáquele por favor lo que tiene, o llamo a seguridad.

La escuchaba como dentro de una casa flotante. Sabía lo que había pasado pero obedecía. Obedecer anestesia. Saqué primero todas las bolsas de algodón, que le hacían de almohada a Bowling, y aclaré que eso no lo íbamos a llevar. Luego puse en el mostrador la leche, las verduras, las galletitas para perros y dije que eso sí lo íbamos a llevar. Lo hacía lentamente, inventando un "íbamos" invariable con el que pudiese desviar la mirada de la cajera de las ropas de Bowling, que estaban cubiertas de sal gruesa porque el paquete se había roto justo ahí, sobre el pecho, y cada vez que le sacaba de encima los granos de sal al enano, y lo tocaba, no soportaba la idea de que él pudiese estar sintiendo de verdad ese frío tan atroz. Y luego... cuando ya no tuve más cosas para sacar del carrito, y Bowling quedó sin nada alrededor que lo tapara, ví que se había escondido debajo de la remera lo único que quería que llevásemos: una bolsa de porotos y diez pliegos de papel barrilete con los colores de Rosario. Y me reí porque esa pasión el enano no me la había contado nunca, yo creía que ni siquiera sabía de equipos. Que no le importaba demasiado ninguna de esas cosas. Era como si se hubiese reservado ser tierno con él mismo a último momento.

—Los cupones que tiene no le sirven para comprar esto.

La cajera se refería a los papeles. Pensé en trompearla. Sí... iba directamente a nockear a la cajera, cuando la señora que estaba detrás me pasó un peso diciéndome que los podía pagar aparte. La miré, ella miró a Bowling, dijo que me tenía que apurar, que las cosas se iban a suceder involuntariamente. No sabía a qué se refería, hasta que al salir del súper me puse al enano a upa, y abrazando la rápida rigidez de su muerte, me transformé yo también en un corazón empetrolado.

Idea

La puerta de la casa de las hermanas hormiga estaba abierta. Al entrar escuché ruidos en la salita de partos y esperé detrás de la cortina de la cortina de cretona, sujetando a Bowling con fuerza. Creí que Nidia y Priscila estaban terminando de atender una parturienta y sabía que debía respetar una distancia. Empecé a llorar y recuerdo que pensé en cómo era posible que pudiese sacar lágrimas al mismo tiempo que contenía la respiración. Eran lágrimas sin oxígeno. Lágrimas cianóticas y anembrionadas, como las de un sentimiento utópico que se equivoca al implantar su nido. Se equivoca y se perdona insistiendo ciegamente.

—¡Paablo!... Estábamos haciendo pan.

Nidia y Priscila habían corrido la cortina y me habían sorprendido aguardándolas con el enano muerto encima mío. Quedaron unos segundos lívidas, arrastradas por la confusión de su apresurado saludo. Luego me sacaron de los brazos a Bowling y lo besaron. Me pidieron que me sentara y yo me senté en la silla del desayuno. La del otro día. La de ese cualquier otro día al que empezaron a hacer referencia los vecinos con sus "¿cómo puede ser si...?" Comentarios barriales de un consuelo absurdo, que por momentos hacían que las hermanas hormiga me hablasen sólo a mí:

—Nene, vení. Vamos a hacer lo que tenemos que hacer. Ayudanos.

Fue una hora. Quizás dos. Lentas, muy lentas. Lentas y empastadas como una miga de pan que no puede bajar del paladar, y se queda atontada, aceptando su destino de hostia.

—Pichón, yo no debí dejarte ir solo con el petiso. Perdoname.

Nidia, en su pedido de perdón, me había hecho fuerte. Miré hacia los costados y vi que en la placita se había juntado mucha gente de la autopista. Extrañé a Rosa. Había señoras que se habían conseguido hasta dos botellas de agua bendita. Algunos para robarla se habían ido en bicicleta varias iglesias a la redonda. Todos parecían querer asegurarse que el deseo de Bowling de renacer como planta se cumpliera. Era una idea, ¿por qué no? Después de todo Bowling siempre se había considerado eso: una idea.

Había chicos que se reían porque recordaban lo loco que era Bowling. Había hermanos con frases ejemplares, como... "¿ves?", y uno no sabía qué quería decir "¿ves?", pero ahí estaban señalando ese momento en que todos iban mojando la tierra a medida que llegaban. El resto me tocó a mí y lo agradecí. Lo más difícil era volver. Priscila me había adelantado que el enano me había dejado cosas. Decidí dar unas vueltas antes.

La nueva tarea

Tercer sueño despierto, esperando a Rosa en un bar

Espacio. Blanco. Espacio. (Coma)... Espacio. Blanco, blanco, blanco. (Pausa)

¡Ah! ¿Estabas ahí?

No te encontraba.

¿Qué hacías?

Estás más chico...

Casi no te veo.

Es el humo.

Estoy fumando.

Todo es blanco, blanco, blanco... Debo irme. (Me hablan)

—¡Pablo! ¿Estás bien? ¿Por qué no me llamaste antes?

—¿Qué antes?

—No sé, te hubiera querido ayudar…

—¿A qué?

Rosa sonrió como si supiese de antemano que estaría enojado. La miré pero no podía detenerme en ella. Por alguna razón mis ojos traspasaban su imagen y cuando querían enfocarla la perdían. Quizás mis ojos no querían sufrir. Sólo era el resto de mí el que se exponía a ese nuevo encuentro…

—¿Querés, Rosa, tomar un café?

—Prefiero té…

—Cierto.

El "cierto" quería decir que yo sabía lo que tomaba y que también sabía de su piel. También quería decir de mi intención de hacerlo notar. La había citado no para consolarme por la muerte de Bowling, sino porque necesitaba que eligiese entre Fermín y yo. Saqué la foto y se la mostré.

—¿Es él?

—Ya hablamos de este tema por teléfono.

—Sí, pero ya no tengo al petiso para saber si entendí bien. ¿Por qué tengo que quedarme yo con la foto y olvidarme del trato con mi viejo? ¿A Olga tampoco le importa Fermín? ¿Es su nieto, no? ¿O quieren ser objetivas?

Fue el peor insulto que pude haberle dicho. Si había algo que Rosa aborrecía era el criterio de objetividad. No supe disculparme. Rosa tomaba el té sin mirar la foto y eso me hacía moco. ¿Tendría miedo de reconocerlo, de llorar, de no ser discreta y decirme al toque que lo nuestro no iba más? Parecía necesitar de ese no mirar, para poder seguir explicándome que ellas creían que podía haber otras formas para obtener información sobre Fermín, sin necesidad de mandarme al muere a mí. Con un tono más blando, pregunté:

—¿Por qué puedo importar yo en todo esto?

Rosa volvió a sonreír y me tomó la mano. Me dijo que Olga me mandaba un beso y que Terrizano le pidió que me dijera que los dioses griegos no salían de la tragedia teorizando. Que ella ya sabía que era un gordo chanta, pero que me lo decía igual. Luego Rosa vio que yo tenía una mancha violeta en uno de los dedos y me preguntó con qué me la había hecho. Me sorprendí, debió quedárseme al sostener la mano del petiso. Era doloroso tenerla... Hablamos así un rato largo de Bowling y de cómo había sido todo. Luego me dijo:

—¿Te guardaste unos porotos?

—¿Cómo supiste?

—Yo hubiese hecho lo mismo.

Ninguno de los dos dijo que Bowling nos había dejado una inquietante pista sobre el vivir. Parecía que la metamorfosis se iba a convertir en la clave de la naturaleza de nuestra charla. Puse uno de los porotos sobre la mesa, y los dos quedamos como en un proceso de retiro. Era un grano feo, viejo, arrugado y seco... Ya otras veces había sentido que en la semilla la planta lograba desprenderse de todo su ego.

—Pablo...

—¿Mmm?

—Me habías hecho una pregunta ¿no?

Luego, Rosa, sin que le pidiese nada, decidió contestarme por qué les interesaba lo que yo hiciese con mi vida....

—Lo primero que tendrías que entender, Pablo, es que las abuelas no hacen canje.

Siguió diciéndome que la señora Stein, estaba ese día concursando con Juan y conmigo, porque tenía el dato de que en ese centro habían pasado hijos de desaparecidos, y aprovechó que justo su título en Letras coincidía con lo que estaban buscando en el aviso, para participar y dar un vistazo desde adentro. Hasta ahí, y dado todo lo que ya había vivido con Rosa y Olga, me resultó muy fácil creerlo. Luego Rosa siguió diciéndome que Olga no había contestado lo que le preguntaban, ni había resuelto lo que quiso decir Homero... Que ella había hecho un dibujo cualquiera, y que si nos eligieron a Juan y a mí, que encima copiamos ese disparate, fue por otra cosa.

La miré, había pelado los terrones de azúcar y los había puesto adentro del té, y eso tan normal, me parecía incomprensible. Pregunté:

—¿Qué es entonces lo que está en el disquette? A Rita la mataron por eso, no te...

—¡Pablo! La única forma de resolver un acertijo es rompiéndolo. Tenés que vencer la tentación de hacer lo que te dicen. ¿Te acordás cuando Bowling dijo que el dibujo no es la forma? Yo me quedé muy impresionada con eso...

En algún momento la voz de Rosa quedó muy lejos, como perteneciendo a un cerebro antiguo. Me había dicho que lo valioso del disquette no era el polígrafo, sino yo. Que lo que estaría registrado en él, sería alguna señal inconsciente de cómo yo había comenzado a "darme cuenta". Que yo tenía un don especial, un olfato para intuir lo invisible de las cosas. Que yo no había usado la razón y que "por algo" me había puesto a buscar en la basura y a querer saber de Olga.

Pensé: ¿por qué hoy tenía que estar sucediendo esto? Revolví mi café con la esperanza de que la taza fuese un mortero. Un instrumento de pulverización de todo lo que había escuchado. Sabía que algún día Bowling iba a morir, que algún día yo iba a tomar una decisión sobre quién era o quería ser... No estaba sabiendo nada nuevo y sin embargo cuando ese algún día es hoy, todo cambia. En el hoy no hay sueño, nada nos protege de nuestro inminente desastre: ser el héroe que recibe la misión.

—...y por eso, Pablo, es que pensamos que vos podías...

Miré las zapatillas de Rosa por debajo de la mesa. Parecían haber sido hechas a mano hace mucho tiempo. La lavandina las había descolorido y costaba esfuerzo darse cuenta que habían sido mucho más encendidas. ¿Por qué insistiría en usarlas? ¿Terminaría Rosa siendo una zaparrastrosa pulcra como Olga? Empecé a temer el proceso por el que las mujeres enloquecen.

—¿Me estás escuchando, Pablo?

La escuchaba, pero cuando lo real es tan real, pareciera que nos está tomando el pelo. Todo se vuelve cómico. ¿Quién ser, ahora? ¿Dónde ir, ahora?

Recuerdo que Rosa se había obsesionado con el nictitante parpadeo de mis ojos, y no dejaba de preguntarse si me sentía bien. Por suerte en un momento tuve ganas de hacer pis y me levanté de la mesa. Al hacerlo, fue evidente que mi cuerpo estaba colgando desde un hilo muy fino, así que disimuladamente enderecé la espalda y llevé mi pelo hacia atrás. Traté de seducir a esa mujer que ya nunca más sería mía.

Un paso, dos pasos... el baño. ¿Cuándo aprendí que los hombres orinan de pie? ¿Quién me enseñó que tenía que levantar la tapa del inodoro? ¿Cómo fui sabiendo la manera de cerrar el cierre del pantalón sin lastimarme? Al regresar a la mesa, Rosa estaba con la foto de Fermín en la mano. La puta madre que la parió.

—¿Y? ¿Es él?

—Sí, creo que sí, Pablo...

—Tiene cara de grande, ¿no? Digo, no es un pendejo como yo. Él es un hombre...

—¿Qué me estás preguntando?

—Te estoy preguntando que, si ahora que sabés que está vivo, lo vas a esperar.

Rosa se sorprendió y se alarmó. No esperaba que yo fuese tan directo. Era como si hubiese roto una cábala.

Fermín había sido su compañero de celda. Su gran amor de infancia. Su maestro. Por él había iniciado con Olga esta búsqueda a ciegas para saber si había sobrevivido. Si le había tocado una familia de militares, si había cambiado, si recordaba algo, si la recordaba...

Miró hacia abajo, hacia el rostro de Fermín, y respondió:

—Si aceptás lo que te dije que podías hacer, no tendría que ser por mí, sino por vos. Por tu compromiso con la verdad y nada más.

De pronto no dijimos nada. Fue como si los dos hubiésemos sido arrojados a un silencio oceánico. Yo le tomé la mano. Rosa levantó la vista. Yo me quedé quieto, mirándola... Ella en cambio puso sobre la mesa la jaula de cartulina que había preparado para transportar la pequeña maceta donde estaba plantado el heliotropo, y sin darme tiempo para oler su pelo, me dio un beso de costado y se fue. Se fue tan repentinamente como yo se lo hubiese pedido, de haber tenido algo de su pavorosa autodeterminación.

En esa mesa de bar habíamos quedado solamente: una planta, la foto de Fermín, y yo. ¡He aquí mi tarea!, dije, traducir las líneas de flujo que pueda marcar este heliotropo al estar conectado a esta foto. Averiguar direcciones, fechas... Averiguar eso y quizás más. ¿Por dónde empezar? ¿Heliotropo-Castellano, Castellano-Heliotropo?

Dentro de la jaulita, Rosa había dejado unos electrodos aclarando que el principal electrodo era yo. También había puesto unas instrucciones de riego, y un texto de Lehrs que hablaba del "principio de renunciación" de las plantas. Según él, había ciertas partes del yo de la planta que morían para ser. Un hoja renunciaba a ser verde para pasar a tener color y ser flor. Era una transformación de golpe, propia de la voluntad de la planta, y carente de toda transición. Se daba, aclara Lehrs, a través de un período de expansión donde la planta puja por apoderarse de una apariencia visible. Para luego, en su período de contracción, deshacerse de su cubierta exterior y penetrar en un estado más puro y sin forma de ser.

—Che, pibe… ¿te molestaría que te vaya cobrando? Es que ya me estoy yendo. Pero vos podés quedarte, eh… el otro mozo te va a atender.

—¿Cuánto es?

—Lo tuyo nada más. La chica quiso pagar todo pero le alcanzó sólo para lo de ella.

Puse las manos en los bolsillos y me di cuenta de que yo también estaba sin un mango, así que antes que nadie me dijese nada, me ofrecí a lavar los platos. Al mozo le hizo gracia, dijo que eso era en las películas y me hizo un gesto como para que me las picara. Pero yo insistí, insistí con tanta vehemencia que no tuvo más remedio que dejarme pasar a la cocina. Fue así, como en ese día, pude darme tiempo para pensar.

Los platos eran como cien, y las tazas, vasos y cubiertos sumaban otro tanto. El cocinero y el ayudante se rieron de mí con tanta franqueza, que no pude dejar de agradecérselos. No sabía qué estaba haciendo, toda esa situación era tan desconocida… Esos hombres riendo, enseñándome a usar una esponja y a dosificar un detergente. ¿Les contaría que estoy de duelo? ¿Qué sabrían de mí? Uno, el grandote pelado, el cocinero, dijo: “ Te largó la mina, ¿no?” Y yo dije “sí”, y me sentí aliviado, como participando de algún evento colectivo. “Tuve un amigo que era de Deportivo Rosario”, dije pensando en Bowling. Y ahí se produjo un silencio, porque era un comentario infantil que no venía al caso. Yo era un hombre que no sabía hablar con otros hombres. Me había quedado sin instrucciones y recurría a la arqueología de los pocos mitos que podía conocer de refilón. "Mejor me callo", pensé, y seguí con los platos percatándome de que algunos estaban tan engrasados que tenía que ponerlos en remojo. Hacía calor, y temí por el heliotropo. Lo había dejado lejos del vapor de la cocina, pero bien a mi vista, arriba de la alacena de los vinos. Rogué que no llamase la atención. Que fuese una planta discreta.¿Cómo ensamblaría dedicarse a traducir un heliotropo con las trabajos de los hombres? ¿Qué diría si me preguntasen a qué me dedico? ¿Contestaría: lingüista? ¿Botánico? Creo que el enano me habría sugerido contestar "detective", y se hubiera reído mucho más fuerte que cualquiera de los tipos de ese bar.

¿Qué día era hoy? ¿Cuatro de septiembre? ¿Cuántos cuatro de septiembre habrían desfilado por delante de la vida del petiso, sin que él supiese que marcaban la fecha de su muerte? ¿Cuál sería la mía?

Miré la pileta, faltaban ochenta platos y como veinte tazas. Iba lento, muy lento... El agua caliente me había hinchado tanto las manos que me costaba sentirlas. Parecían encalladas en algún puerto distante. Pero más allá de esa sensibilidad suspendida, ningún vaso se me resbalaba, ningún cuchillo caía al piso... Era como si hubiese ido adquiriendo un punto prodigioso en el empleo de las cosas. Un punto incierto y preciso que aparecía desde el fondo oscuro de esa pileta grasosa. Lavaba y pensaba por ejemplo en mi amistad con Juan. En cómo a falta de conocer otro paso para dar, había repetido la consigna de dejarme robar. Mi origen, mi historia... También pensé en las cosas que yo mismo me robaba, y al hacerlo y mirar la pileta, vi que en medio del agua jabonosa surgía la imagen del rostro de Rosa. La lágrima que no le vi, la profunda y visceral belleza de lo aún no nacido. ¿Sería ésta mi segunda fase de iniciación? ¿Lavar un vaso, agitar el agua, y esperar el relámpago? Conté: cincuenta y ocho, cincuenta y nueve... En el plato sesenta ya podía distinguir si el que había comido era zurdo, y en el sesenta y cinco ya podía decir si había sido hombre o mujer. Los viejos eran fáciles de descubrir porque dejaban la huella del pan con que empujaban la comida. ¿Si puedo darme cuenta de estas cosas... seré capaz alguna vez de distinguir las bolsas de basura que se mueven, las que están vivas y deben ser recogidas? Quizás no, quizás yo pueda ver algunas cosas y otras en cambio puedan verlas Nidia, o Priscila, o Rosa, o... Pensaba en eso y en los olores nuevos que salían de la cocina, y a menudo me detenía para pasarme la mano mojada por el pelo que se me venía a la cara y no me dejaba concentrar en la mugre de las ollas. ¿Estaban ya las ollas o me las agregaron después? Había que refregarlas y darles duro, pero antes de pasar el estropajo y clavarlo en el agua, siempre me fijaba si no volvía el alma de Rosa a su forma acuática. Así de solo estaba...

—Che, pibe... ¿Te estás bautizando?

En un momento el ayudante de cocina me hizo notar que tenía la cabeza empapada. ¿Qué hora sería? Ya había terminado, sólo quedaba dar una repasada al mármol. La voz del grandote volvió a despabilarme:

—¿Listo? Bueno, no fue precisamente rápido, pero lo hiciste bien. Salvo las dos veces que dejaste desbordar la pileta. Pero bueno, cada uno tiene su sistema... Parece que el tuyo es el "desbalse", ¿no? Si querés volvé mañana.

¿Quién era este tipo que me hablaba así, con ese escarbadiente espantoso pegado al labio? Era tardísimo. Hacía una hora que tendrían que haber cerrado. Se habían quedado a esperarme porque habían hecho una apuesta para ver si yo aguantaba. Estuvieron sentados un rato largo viéndome, después se hicieron una tortilla, se tomaron unos vinos, miraron el reloj, rieron, secaron los charcos que yo hacía en el piso, y curiosos por saber quién carajo era yo, abrieron mi mochila y leyeron mi cuaderno de sueños.

—Los poemas, pibe, son buenos. Algunos mucho no se entienden, pero si te ponés los podés mejorar. Acá los martes viene un grupito de pibes, así como vos, que me están arrastrando el ala para que les garpe una edición. ¿Te imaginás, yo, editor?

Entendí en ese momento que tenía un problema de continuidad. No recordaba cómo había recuperado el cuaderno, quién me lo había devuelto, y mucho menos qué hacía mi mochila ahí. Roque, que así se llamaba el cocinero-parrillero y dueño del bar con aires de futuro editor, seguía con la sanata de que yo tenía que escribir. Todo dicho así... entre escupidas, gargajos, pucho y cachos de provolone. ¿Pero quién se creía que era? En un momento hasta llegó a decir:

—Disculpá si nos estamos metiendo, pero aquí prontuariamos a todos los que vienen. Uno no sabe con quién está hablando, así que...

¿Pero quién soy yo? ¡Por favor que me lo diga! Y me lo dijo:

—¿Sabés lo que sos vos? Vos sos... ¿te acordás de ese tango que habla de la poesía cruel?, bueno, vos sos el hijo. Vos sos "el hijo de la poesía cruel". Vos no tenés que perder el tiempo pretendiendo parecer un ser humano de este planeta, así te lo digo. Si querés encajar estás frito. Yo eso lo aprendí en una temporada que estuve...

No llegué a prestarle más atención. Era demasiado. Había visto lo que yo ocultaba, con la misma naturalidad con la que un tipo orina al lado de otro tipo. Quería volver a ver a las hermanas hormiga, y quería estar ungido de tristeza. No podía llegar en medio del luto y decir: no sé cómo, de casualidad, por fin, miren qué maravilla, encontré un padre.

—Vos no tengás miedo de tener miedo —siguió Roque—. La calle está llena de tipos que todo lo que hacen, todo, es para no tener miedo. Acá en este bar, por ejemplo, más de uno se caga en las patas pero igual hace lo que cree que tiene que hacer. Y eso tiene bolas. ¿Se entiende la diferencia?...

¿Qué era toda esta apología? ¿A qué venía? El asistente de cocina me había preparado un paquetito de comida para llevarme y el tal Roque estaba largándome encima unos mangos. Yo había laburado por el café y punto. Me tenía que ir. Me quería ir. Necesitaba irme. Pero claro, el Roque siguió:

—Una cosita más te digo. No te confundás. Más miedo, más sabés quién sos. Es al revés de lo que te dicen. Si no arriesgás, no tenés amor, no tenés un soque.

Cuando me dijo eso, sentí que era una pena que Nidia y Priscila fuesen tan fuleras ya que les tenía el novio perfecto. También pensé que Bowling hubiese podido ser amigo de Roque y que no le hubiese pasado desapercibido lo macizo que era. Hasta podría haberlo llamado así: "Macizo Roque"... ¿Por qué el rompecabezas se agrandaba? ¿Por qué no me dejaban en paz?

Al acompañarme a la puerta, Roque, refiriéndose al heliotropo me preguntó si no me llevaba el perejil. "¡Sí, lo llevo!", dije agarrándolo con desesperación. Luego, afuera, me señaló una esquina y me avisó que ahí no saltase porque hacía un año habían bajado a uno por saltar. La verdad es que no se me hubiese ocurrido ni en pedo hacer una cosa como ésa, y no entendí su advertencia sino hasta el momento en que al atravesar la esquina, pude sentir cómo ese sitio, efectivamente, te hacía surgir desde las piernas unas imparables ganas de saltar. "Cosas de hombres", pensé, y caminando a grandes zancadas me fui hacia la autopista.

Viaje

Los vecinos todavía estaban acompañando a Nidia y Priscila. Nadie había tocado nada. Estaba ante el arcano de la tristeza ajena. Siempre incomparable. Siempre petrificante.

No tardé mucho. Pronto tuve la sensación de que me aguardaban para despedirme. No había un tren, no había una estación... pero el comportamiento de todos era como si lo hubiese. Como si lo correcto fuese que yo dejase esa casa de niños y de mujeres, y subiese a algún vagón.

Las hermanas hormiga me habían separado ya los dos mapas antiguos que me había dejado Bowling. Llevaban una notita del enano pidiéndome que los viera cada vez que me olvidara que todo está unido con todo. También me pedía que me fijara bien porque para él eran de verdad y podían valer plata. Pregunté si sabían de dónde los había sacado Bowling, y Nidia me contestó:

—Claro, pichón, ¿de dónde va a ser?… ¡de la basura!

Priscila, que estaba muy callada y se había dedicado todo ese tiempo a deshilachar su falda, sonrió. No había mucho más… Las besé y les di un abrazo hasta hacerlas crujir. No digo que me fui porque a veces creo que sólo salí. Las dejé mirando por la ventana y diciéndome en coro:

—Nene… ¡Suerte con la plantita!

Miré la jaula de cartulina donde llevaba mi heliotropo, y parpadeé.

Cuarto sueño despierto, deambulando…

¿Qué hacés ahí? ¿No era que estabas abajo? No te entiendo… diste vuelta el árbol.

¿Será que la guerra sigue?

A la noche, todos quieren el aliento del jaguar.

No te adelantes tanto. No corras. Te nombro caballero. Te nombro... "algo".

¿Te fijaste? Tengo una flecha de fuego atravesándome el pecho.

¿Quién la lanzó si no fui yo?

¿Fui yo?

Es extraño… las llamas tienen ojos que ven muy lejos.

Ya tengo un hueco.

Hasta podrías pasar por él cuando quieras venir a comer con ese hambre voraz que tienen los muertos.

Me falta el cuerpo.

Construir lo faltante alrededor del fuego.

Si sangro luz, si se me cae como la brasa que no puede sostenerse… ¿la recogerías?

No quiero volver al hielo.

EPILOGO DE EDICIONES "MACIZO ROQUE"

A pesar de los trámites del doctor Terrizano, Pablo no logró escabullirse de la causa penal que terminaron imputándole. No obstante, fuera del país pudo ir descifrando el heliotropo, y dar algunos datos útiles para encontrar a Fermín. Olga y otras abuelas siguen investigando.

Pablo también fue colaborando con Rosa en el zurcido de textos invisibles, mandándole por correo entre muchos papeles estos manuscritos. Agradecemos a Rosa que los haya conseguido y que haya confiado en nosotros.

Las hermanas hormiga están más encurtidas, pero siguen firmes. De vez en cuando se aparecen con gente de la autopista.

El padre de Pablo, hace unos meses vino al bar haciendo preguntas. Estaba de civil y no sabemos cómo llegó hasta aquí.

Lo último que sabemos de Pablo es que en Cali aprendió que las hojas del tamarindo también son muy buenas, dado el caso; y que de los mapas que le dejó Bowling, uno especialmente es muy valioso, pero no en dinero sino en otras cosas. Ahora está con unos poetas de México y tiene mucho trabajo, porque como dicen allá: "están entrando a una escuela que aún no existe."

Gracias de nuevo… " Roque".

(Fin)